MINISTERIO
DE EDUCACIÓN
Y CIENCIA

Centro de
Investigación y
Documentación Educativa

cide

EDICIONES MORATA, S. L.

Colección: PEDAGOGÍA
Educación infantil y primaria

Alfabetización ecológica en educación primaria

Por

Alan PEACOCK

Traducción de
Pablo Manzano

Obras en coedición con el Ministerio de Educación y Ciencia

— Colección *Educación infantil y primaria*

1. **Zimmermann, D.:** *Observación y comunicación no verbal en la escuela infantil* (3.ª ed.).
2. **Oléron, P.:** *El niño: su saber y su saber hacer* (2.ª ed.).
3. **Loughlin, C. y Suina, J.:** *El ambiente de aprendizaje: diseño y organización* (5.ª ed.).
4. **Browne, N. y France, P.:** *Hacia una educación infantil no sexista* (2.ª ed.).
5. **Selmi, L. y Turrini, A.:** *La escuela infantil a los tres años* (4.ª ed.).
6. **Selmi, L. y Turrini, A:** *La escuela infantil a los cuatro años* (3.ª ed.).
7. **Saunders, R. y Bingham-Newman, A. M.:** *Perspectivas piagetianas en la educación infantil* (2.ª ed.).
8. **Driver, R., Guesne, E. y Tiberghien, A.:** *Ideas científicas en la infancia y la adolescencia* (4.ª ed.).
9. **Harlen, W.:** *Enseñanza y aprendizaje de las ciencias* (5.ª ed.).
10. **Selmi, L. y Turrini, A.:** *La escuela infantil a los cinco años* (3.ª ed.).
11. **Bale, J.:** *Didáctica de la geografía en la escuela primaria* (3.ª ed.).
12. **Tann, C. S.:** *Diseño y desarrollo de unidades didácticas en la escuela primaria* (3.ª ed.).
13. **Willis, A. y Ricciuti, H.:** *Orientaciones para la escuela infantil de 0 a 2 años* (3.ª ed.).
14. **Orton, A.:** *Didáctica de las matemáticas* (4.ª ed.).
15. **Pimm, D.:** *El lenguaje matemático en el aula* (3.ª ed.).
16. **Moyles, J. R.:** *El juego en la educación infantil y primaria* (2.ª ed.).
17. **Arnold, P. J.:** *Educación física, movimiento y curriculum* (3.ª ed.).
18. **Graves, D. H.:** *Didáctica de la escritura* (3.ª ed.).
19. **Egan, K.:** *La comprensión de la realidad en la educación infantil y primaria.*
20. **Hargreaves, D. J.:** *Infancia y educación artística* (3.ª ed.).
21. **Lancaster, J.:** *Las artes en la educación primaria* (3.ª ed.).
22. **Bazalgette, C.:** *Los medios audiovisuales en la educación primaria.*
23. **Newman, D., Griffin, P. y Cole, M.:** *La zona de construcción del conocimiento* (3.ª ed.).
24. **Swanwick, K.:** *Música, pensamiento y educación* (2.ª ed.).
25. **Wass, S.:** *Salidas escolares y trabajo de campo en la educación primaria.*
26. **Cairney, T. H.:** *Enseñanza de la comprensión lectora* (4.ª ed.).
27. **Nobile, A.:** *Literatura infantil y juvenil* (2.ª ed.).
28. **Pluckrose, H.:** *Enseñanza y aprendizaje de la historia* (4.ª ed.).
29. **Hicks, D.:** *Educación para la paz* (2.ª ed.).
30. **Egan, K.:** *Fantasía e imaginación: su poder en la enseñanza* (2.ª ed.).
31. **Escuelas infantiles de Reggio Emilia:** *La inteligencia se construye usándola* (4.ª ed.).
32. **Secada, W. G., Fennema, E. y Adajian, L. B.:** *Equidad y enseñanza de las matemáticas: nuevas tendencias.*
33. **Crook, Ch.:** *Ordenadores y aprendizaje colaborativo.*
34. **Gardner, H., Feldman, D. H. y Krechevsky, M. (Comps.):** *El Proyecto Spectrum. Tomo I: Construir sobre las capacidades infantiles.*
35. **Gardner, H., Feldman, D. H. y Krechevsky, M. (Comps.):** *El Proyecto Spectrum. Tomo II: Actividades de aprendizaje en la educación infantil.*
36. **Gardner, H., Feldman, D. H. y Krechevsky, M. (Comps.):** *El Proyecto Spectrum. Tomo III: Manual de evaluación para la educación infantil.*
37. **Cooper, H.:** *Didáctica de la historia en la educación infantil y primaria.*
38. **Cummins, J.:** *Lenguaje, poder y pedagogía.*
39. **Haydon, G.:** *Enseñar valores. Un nuevo enfoque.*
40. **Gross, J.:** *Necesidades educativas especiales en educación primaria.*
41. **Beane, J. A.:** *La integración del currículum.*
42. **Defrance, B.:** *Disciplina en la escuela.*
43. **Siraj-Blatchford, J. (Comp.):** *Nuevas tecnologías para la educación infantil y primaria.*
44. **Peacock, A.:** *Alfabetización ecológica en educación primaria.*

— Colección *Proyectos curriculares*

Aitken, J. y Mills, G.: *Tecnología creativa* (6.ª ed.).
Dadzie, S.: *Herramientas contra el racismo en las aulas.*
Suckling, A. y Temple, C.: *Herramientas contra el acoso escolar. Un enfoque integral.*

Alan PEACOCK

Alfabetización ecológica en educación primaria

MINISTERIO
DE EDUCACIÓN
Y CIENCIA

EDICIONES MORATA, S. L.

Título original de la obra:
ECO-LITERACY FOR PRIMARY SCHOOLS

© Alan Peacock, 2004
  Trentham Books Limited

© de la presente edición:
MINISTERIO DE EDUCACIÓN Y CIENCIA
Secretaría General Técnica
y
EDICIONES MORATA, S. L. (2006)
Mejía Lequerica, 12. 28004 - Madrid

Coeditan:
— Secretaría General Técnica del MEC
— Ediciones Morata, S. L.

Derechos reservados
Depósito Legal: M-30.096-2006
ISBN-13: 978-847112-507-1
ISBN-10: 84-7112-507-2

NIPO: 651-06-177-2
Compuesto por: Ángel Gallardo Servicios Gráficos, S. L.
Printed in Spain - Impreso en España
Imprime: ELECE. Algete (Madrid)
Ilustración de la cubierta: *En el mes de julio,* por Paul Joseph Constantin Gabriel
                                            (1828-1903)

Contenido

Agradecimientos

La apertura de nuevos caminos para la enseñanza y el aprendizaje en la Educación Primaria requiere siempre apoyo y confianza, y debo mucho a las personas que me la brindaron durante la concepción y la redacción de este texto. La inspiración original provino de los libros y el entusiasmo personal de Fritjof CAPRA, Joseph CORNELL y Sir Alec CLEGG en su última época. A menudo, las ideas, las actividades y los enfoques emanaron de (o asaltaron a) colegas y alumnos, como Rob BOWKER, Beth GOMPERTZ y los estudiantes del PGCE* de Primaria de la *Exeter University*; Nick PRATT y Alan DYER, de la *Plymouth University*; John PARRY, de la *Sussex University*; Mark RICKINSON, de la *NFER's Environmental Research Network*, y Cathy BURKE, de la *Leeds University*, quienes me proporcionaron perspectivas fascinantes sobre las ideas de niños y maestros.

También estoy en deuda con dos iniciativas que encarnan la filosofía de este libro. *En primer lugar*, la del equipo educativo del *Eden Project*, en especial el apoyo y entusiasmo de Jo READMAN, Gill HODGSON, Pam HORTON y Andy JASPER. *En segundo lugar*, la del personal del *Carymoor Environmental Centre*, en particular a Jill VRDLOVCOVA, director ejecutivo, y al *Somerset Waste Action Programme*, dirigido por Rupert FARTHING. Tengo que dar las gracias también a *Wyvern Waste*, la compañía que gestiona el vertedero de Carymoor, por el uso de algunas fotografías y por su enfoque progresista de la educación sobre la minimización de los residuos que, junto con el impresionante apoyo material de los consejos del condado y del distrito de Somerset, ha ayudado al equipo de Carymoor a crear una instalación educativa insuperable. Por último, he aprendido mucho de la reciente evaluación del *National Trust/Norwich Union Guardianship Scheme:* tengo que manifestar mi agrade-

---

* PGCE: *Postgraduate Certificate in Education.* Certificado de Educación para Posgraduados. (*N. del T.*)

cimiento a Alison LIPSCOMBE y al personal que, por todo el país, realiza este interersantísimo trabajo con los niños fuera de las escuelas. Ha sido para mí un inmenso placer trabajar con unos equipos tan dedicados a su labor durante los tres últimos años.

Con respecto al libro en sí, tengo que agradecer también a Gillian KLEIN su compromiso con la idea original y su intachable revisión, a John STIPLING su paciencia y sus consejos para reproducir numerosas ilustraciones y a mis hijos Laurent (por dibujar varios diagramas) y Katie, por su cuidadosa corrección de pruebas del manuscrito final. Indudablemente, después de leer este libro, los maestros y otras personas discutirán las ideas y enfoques que presenta, y, para mí, esto es positivo. Considero que este libro es un intento de elevar el perfil del ecopensamiento en las escuelas: en ellas, este tema vital puede adquirir una importancia mucho mayor en el futuro aprendizaje de los niños.

CAPÍTULO PRIMERO

¿Por qué se escribe este libro?

Este libro es el resultado de muchos años de trabajo con maestros de Primaria y alumnos en prácticas a quienes les preocupa lo que ocurre en el mundo en que vivimos y quieren tratar estas cuestiones con niños y niñas*. Por tanto, es un texto sobre los datos reales básicos de la vida a principios del siglo XXI. No es un libro de terror ni pesimista. Su finalidad consiste en ayudar a los alumnos a que se sientan más seguros al abordar conceptos complejos, como "ecología", "biodiversidad" y "sostenibilidad" —los nuevos "datos reales"— de manera que les resulten interesantes y relevantes. Espero que le interese y le persuada a Vd. para que pueda hacer más hincapié en estas cuestiones vitales en su trabajo con los alumnos.

Es también un libro sobre la necesidad de la visión. Ciertos programas de TV, como "Changing Rooms"[1], nos recuerdan que no se puede empezar a redecorar hasta no tener una visión del aspecto que deseamos que tenga la habitación. Esto mismo se aplica a una escala mucho mayor: no podemos ayudar a los niños a pensar, aprender y vivir de otra forma si nosotros, sus padres y sus maestros, no tenemos una visión clara de lo que importa realmente.

El libro empieza ayudándole a Vd. a pensar en la idea de la ecoalfabetización**, dividiéndola en ideas más sencillas. Una gran idea es que nuestras

---

* Deseamos siempre evitar el sexismo en la lengua, pero también queremos alejarnos de la reiteración que supone llenar todo el libro de continuas referencias a ambos sexos. Así pues, a menudo (pero no siempre) hemos incluido expresiones como "niñas y niños", "el niño y la niña", "infantil", padres y madres, maestros y maestras, profesoras y profesores, docentes, el profesorado... *(N. del E.)*

[1] *Changing Rooms* es un programa de BBC TV en el que concursan dos parejas de vecinos que intercambian las llaves de sus viviendas con el fin de que cada una transforme una habitación de la casa de la otra. Para ello, sólo disponen de días, un presupuesto limitado y la ayuda de un experto en decoración de interiores. *(N. del T.)*

** Salvo en el título de esta obra, en el que traducimos *eco-literacy* por *alfabetización ecológica*, dentro del texto aparecerá como *ecoalfabetización* porque se está convirtiendo en el término más usual en diversos países hispanohablantes. *(N. del R.)*

vidas, nuestro pequeño planeta y todas nuestras acciones están entrelazadas mediante redes. Esto es cierto respecto a los animales y plantas, como también nuestras comunidades, empresas, tecnologías, océanos, tiempo meteorológico y política global. Cultivamos cereales y criamos ganado, vendemos la carne a Europa e importamos una cantidad similar de carne: ¿por qué? ¿Qué ocurriría si matáramos todas las abejas que polinizan las plantas? Éstas son cuestiones que pueden plantear los niños: son preguntas sobre la "red de la vida". Primero, he aquí algunas palabras clave:

Algunas ecopalabras clave y sus significados

ECO- Del griego *OIKOS*, casa.

ECOLOGÍA La relación de unos organismos con otros y con su medio ambiente físico.

ECOSISTEMA Unidad de los organismos con su hábitat (por ej., una pluviselva, una laguna).

ECONOMÍA Del griego *OIKONOMOS*, gerente del hogar o administrador. De ahí, las relaciones:

ECOLOGÍA
Cómo nos relacionamos con nuestro medio ambiente

ECONOMÍA
Cómo administramos nuestro medio ambiente

Cómo dependemos de él ———— Cómo influimos en él

ECOALFABETIZACIÓN
Conocer las consecuencias de nuestras acciones (e inacciones)

Actualmente el mundo está interrelacionado como nunca lo estuvo: cuando llamamos a la compañía telefónica, es probable que la central esté en la India. Los niños pueden enviarse correos electrónicos casi desde y hasta cualquier sitio. Para vivir y trabajar con eficacia, los alumnos deben aprender cómo se comportan estas redes y cómo utilizarlas para hacer que se escuchen sus voces. También deben pensar en "qué ocurrirá si..." y responsabilizarse de lo que hacen.

Este libro no indica a Vd. ni a sus hijos lo que "deben" hacer, sino que pretende estimularles tanto a ellos como a Vd. para que piensen juntos creativamente. Una reciente encuesta dirigida a adolescentes en Australia, presentada por David Hicks (2002), puso de manifiesto que contemplan un futuro sin compasión, físicamente violento, dividido, mecánico, insostenible y políticamente corrupto. Al mismo tiempo, mostraban su apego al "sueño tecnocrático" sobre un mundo en el que todo estuviese a su alcance con sólo una pulsación del teclado en su ordenador portátil.

En vez de preparar a los niños para vivir en un mundo frío, tecnológico, de ese estilo, este libro se ocupa de cómo ayudarles a participar de un modo más activo en el mundo tal como es ahora. Indica posibles nuevas formas de centrar el aprendizaje de los alumnos en ideas importantes de su vida cotidiana. Da por supuesto que niños y niñas quieren enfrentarse a las grandes cuestiones y que todos son capaces de hacerlo, en un nivel adecuado. He aquí un ejemplo:

> No hace mucho, estuve observando la exposición de un estudiante sobre el ciclo vital de una mariposa con un grupo de Y2*. Después de utilizar marionetas y dibujos de las fases de huevo, oruga, crisálida y mariposa, el estudiante estaba resumiendo finalmente el ciclo y preguntó: "y después del estado de mariposa, ¿qué pasa?", pensando que los niños responderían: "pone huevos y el ciclo empieza otra vez". En cambio, una niña dijo: "se muere".

¿Cómo les ayudamos a enfrentarse con la muerte? Cuando les llevamos a una granja, dejándoles que den de comer a los corderos, ¿cómo abordamos el hecho de que éstos están destinados al matadero y a los congeladores del híper?

El libro revela formas de abordar las cuestiones verdaderamente importantes: ¿Cómo comenzó el universo? ¿Cómo empezó la vida? ¿Por qué maltratamos nuestro medio ambiente? ¿Quién es responsable? ¿Cómo podemos dejar menos residuos? ¿Cómo podemos aplicar las grandes ideas en casa? Presenta ejemplos prácticos que les han resultado útiles a otros maestros, y, como las cosas cambian muy deprisa, les pone en contacto con fuentes en donde actualizar la información.

El libro también cuestiona algunos mitos sobre el aprendizaje escolar, por ejemplo, que la mejor manera de que los niños aprendan es mediante asignaturas independientes. Muestra a los maestros la importancia de las conexiones entre asignaturas, si se quieren abordar los auténticos problemas del mundo. Un ejemplo de este tipo es la cuestión del suministro de agua limpia, que tiene relación con las ciencias de la naturaleza, la salud, el crecimiento de la población, la industria, la cultura, la economía, la política. Dos tercios del agua de todo el mundo están en la Antártida: la capa de hielo se está fundiendo con rapidez. ¿Quién es responsable de esto?

El libro también considera cómo aprenden los niños y niñas acerca de su entorno fuera de la escuela: lo que hemos descubierto puede animarles a hacer visitas y obtener el mayor partido de ellas. En cierto nivel, esto significa

---

* Se trata del segundo curso del primer ciclo de Primaria en el sistema educativo británico. (*N. del T.*)

su entorno inmediato; también supone utilizar todo el conjunto de centros interactivos, granjas, zoológicos, jardines, parques eólicos, lagos, vertederos y todas las demás posibilidades que han ido surgiendo con una función deliberadamente educativa. Una cosa es enseñar a los niños a leer; otra muy distinta es enseñarles a que *quieran* leer. La lectoescritura que no se utiliza carece de sentido: saber cómo reducir los desperdicios sin hacer nada al respecto es igualmente inútil. Tenemos que ayudar a los niños a que *quieran* aprender más acerca de su mundo y a utilizar lo que obtengan con vistas a provocar un cambio para su mejora.

Es preciso que los jóvenes puedan elegir con información suficiente, pero esto no significa que deban saberlo todo. Lo que importa es que, como grupos, clases o comunidades, adquieran los conocimientos y competencias relevantes para los problemas con los que puedan encontrarse, de manera que sepan dónde hallar información cuando la necesiten y cómo convencer a la gente para que les ayude a obtener aquello que sea preciso.

En vez de encajar la ecoalfabetización en el *National Curriculum**, el libro muestra cómo debe asumir el *National Curriculum* la ecoalfabetización como nueva área fundamental, al lado de las materias básicas y las creativas. Una vez más, las palabras de moda son "innovación", "flexibilidad" y "creatividad"; como todo lo demás, el currículum atraviesa ciclos de cambio desde lo muy prescriptivo a lo general y preveo que nos encontramos al principio de un alejamiento de lo prescriptivo. Espero que los maestros tengan mucho más que decir sobre qué y cómo enseñar, y este libro pretende apoyarles.

No nos preocupamos aquí de los tests, los objetivos de rendimiento, los niveles ni las inspecciones. En la educación primaria de los niños hay cosas más importantes, como mantener su entusiasmo, curiosidad y deseo de saber más acerca de su mundo. El libro trata de encender el fuego y no sólo de llenar ollas; de que los niños quieran aprender acerca de la vida, sin perder en absoluto de vista la importancia de las materias básicas y el conocimiento. A Sir Alec CLEGG, un gran educador de Primaria durante las décadas de 1950 a 1980, le gustaba citar estos versos de una antología victoriana:

> *Si te ves privado de fortuna*
> *Y has abandonado estos valores terrenales*
> *De dos panes, vende uno y, con el producto*
> *Compra jacintos para alimentar el alma.*

La ecoalfabetización supone comprender de qué modo están organizadas las cosas para sostener la red de la vida. Y este libro desea prender en Vd. y en su alumnado la llama del deseo de aprender juntos sobre ello y de hacer algo al respecto, en el aula y fuera de ella: criar jacintos, además de comer pan.

---

* El equivalente español es el *Diseño Curricular Base* (DCB). *(N. del R.)*

La isla de Pascua: Una parábola sobre el mundo

La historia de la isla de Pascua es un buen punto de partida, pues suscita muchas de las cuestiones de ecología y supervivencia a las que nos enfrentamos en la actualidad. Es también un relato fácil de comprender y de comentar para los niños.

La isla de Pascua, conocida por sus habitantes como Rapa Nui, es la más aislada del planeta, situada a unas 1.000 millas de Sudamérica por el este y de Polinesia por el oeste, en medio del océano Pacífico. Fue colonizada en primer lugar por los polinesios, que llegaron hasta ella en canoa en el siglo VI. Encontraron una isla rica en palmeras, aves y peces y se establecieron allí. Su población fue creciendo poco a poco durante unos 1.000 años hasta que, de repente, desapareció casi por completo. Las pruebas arqueológicas demuestran que, en el siglo XVI, muchos murieron de inanición; en la isla no quedó ni una palmera, y la mayoría de los esqueletos daba muestras de muerte violenta. ¿Qué ocurrió? Todo esto no se debió a un terremoto ni a un huracán; el desastre lo provocaron los mismos isleños.

La isla de Pascua es famosa por la gran cantidad de enormes cabezas talladas en piedra que hay en ella; algunas sobrepasan los 10 m de altura y pesan cientos de toneladas, y fueron la causa del declive. Los habitantes las tallaron como tributo a sus antepasados; las cabezas los observaban y protegían. Sin embargo, trasladarlas hasta su sitio fue una tarea enorme y requirió muchos rodillos, elaborados con los troncos talados de las palmeras. Poco a poco, éstas fueron diezmándose utilizadas para transportar cada vez más estatuas y no pudieron regenerarse con suficiente rapidez. Para alimentarse, la creciente población dependía de las aves y sus huevos, pero cada vez fueron menos las que sobrevivieron y anidaron en la isla. Sin árboles, los isleños no podían hacer canoas, por lo que su pesca fue reduciéndose. Los alimentos empezaron a escasear, la gente se moría de hambre y estalló la guerra civil entre facciones que intentaban hacerse con los pocos alimentos que quedaban. Fueron masacradas muchas personas. No obstante, sin canoas, no podían escapar para buscar otras tierras; estaban aislados por miles de millas de agua marina. La población se redujo a un escaso número de habitantes que, al final, aprendieron la lección y establecieron sistemas para compartir las pocas aves que quedaban y sus huevos y cultivar cereales para comer.

Después, en el siglo XVIII, llegaron los exploradores holandeses. Encontraron una población reducida, establecida y pacífica que estaba empezando a recuperarse. Sin embargo, ellos aportaron el peor regalo: enfermedades venéreas, sobre todo la sífilis, que acabaron con la población que quedaba, que no había tenido contacto con las dolencias europeas y sucumbió al instante. Sólo quedaron las esculturas gigantes para recordarnos esta asombrosa cultura. Sus alumnos pueden descubrir muchas más cosas acerca de la historia de Rapa Nui buscando en la web "Isla de Pascua". Un buen sitio para empezar es el programa *Horizon* de la BBC, en www.bbc.co.uk/science/horizon/2003/easterisland.shtml.

¿Por qué una parábola del mundo? Los habitantes de la isla de Pascua se obsesionaron con el cumplimiento de sus deberes religiosos, en este caso, el culto a sus antepasados, y, en consecuencia, dilapidaron sus recursos naturales. Esta circunstancia se parece mucho a la situación que ocupan en la actualidad las reservas de petróleo, en el centro de guerras relacionadas con las diferencias religiosas en Oriente Medio y en África. Del mismo modo que estamos atrapados en un planeta con unos recursos finitos, los habitantes de la isla de Pascua estaban atrapados en una isla con unos recursos finitos. Tardaron demasiado en ver las señales de peligro, y no estaban preparados para una eventualidad que no podían prever (en su caso, la llegada de los europeos con nuevas enfermedades), del mismo modo que nosotros estamos ignorando las señales de peligro de la deforestación, la pesca excesiva y el calentamiento global, y somos atacados con frecuencia por nuevas enfermedades, como el SIDA, el ébola, la fiebre del este del Nilo, la gripe aviar y el SRAS *Servere Acute Repiratory Syndrome* (Síndrome Respiratorio Agudo Severo). A escala global, estamos haciendo exactamente lo mismo que los habitantes de la isla de Pascua hace 500 años. ¿Cómo podemos evitar cometer el mismo error?

CAPÍTULO II

¿Por qué es importante la ecoalfabetización?

Tiene que haber poderosas razones para defender una nueva materia curricular o una nueva forma de organizar el currículum de la escuela primaria. Sin embargo, la enseñanza de las materias convencionales es cada vez menos relevante para las necesidades de la infancia en la actualidad. De todos modos, tenemos que justificar por qué debemos enseñar "los grandes problemas". ¿Qué convierte algo en un "problema"? ¿Qué hace que un problema sea "grande"? ¿Por qué organizamos el currículum en torno a estas ideas?

En algunos países, la elaboración de un currículum nacional significa volver atrás a las ideas básicas sobre la finalidad de la educación. En el Reino Unido, en la década de 1980, significaba simplemente volver a la división convencional del currículum en las asignaturas de toda la vida, de las que siempre se habían examinado los alumnos en las escuelas secundarias. Para el gobierno de entonces también significaba apartarse de las ideas "progresistas", modernas, sobre una educación basada en temas y centrada en el niño que se introdujeron en la década de 1960. No obstante, como ha señalado Robin ALEXANDER (2000), la Educación Primaria inglesa vuelve periódicamente a las ideas de la educación "elemental" del siglo XIX, y entramos en ese ciclo a finales del decenio de 1980. Ahora, a medida que salimos poco a poco de él, podemos ir pensando en lo que los niños necesitan aprender.

En la competición de 2001 del *Guardian* para describir "La escuela que me gusta", la idea de "relevancia" destacaba en el pensamiento de los niños (BURKE y GROSVENOR, 2003). Querían, por encima de todo, unas escuelas que fuesen relevantes respecto a las cosas que ocupaban el primer plano de su mente. Como maestro y formador de maestros de ciencias naturales durante muchos años, observé que las ciencias, como asignatura, no ocupaban un puesto muy alto en la lista de cosas relevantes. ¡Tampoco lo ocupaba la enseñanza a todo el grupo de clase! Quizá por eso, éste sea un buen momento para pensar en incluir las ciencias que aprenden los niños en algo más grande, que permita que aflore su relevancia con mayor claridad.

Fritjof CAPRA es uno de los más importantes pensadores del mundo sobre las relaciones entre la ciencia y otros aspectos de la vida y tiene muy claro qué debe ser este "algo más grande":

En las próximas décadas, la supervivencia de la humanidad dependerá de nuestra alfabetización ecológica: nuestra capacidad de comprender los principios básicos de la ecología y de vivir de acuerdo con ellos. Por tanto, la alfabetización ecológica o "ecoalfabetización" debe convertirse en una competencia crítica para los políticos, los líderes empresariales y los profesionales de todas las esferas, desde las escuelas primarias y secundarias hasta los *colleges*, universidades y la educación y formación continuada de los profesionales.

(CAPRA, 2002, pág. 201.)

CAPRA sostiene que la ecoalfabetización es fundamental para el aprendizaje y la supervivencia en el futuro; sin embargo, todavía no se le ha encontrado un lugar obvio en el currículum de las escuelas primarias británicas. No obstante, podría convertirse en un auténtico elemento fundamental del currículum. Quizá no como otra asignatura, como tampoco es una buena idea que la ciudadanía se considere como una asignatura. En mi opinión, la ecoalfabetización puede reunir las importantes dimensiones de las ciencias, las humanidades y la ciudadanía, que son esenciales para que los niños comprendan lo que debemos hacer para asegurar nuestra supervivencia continuada en el planeta.

Esto le parecería lógico a una gran parte de los maestros de Europa, Lejano Oriente y otros lugares. En la mayoría de los sitios, el currículum de primaria nunca ha estado dividido en asignaturas como "ciencias naturales", sobre todo en los primeros cursos de la escolarización. (Incluso la lectura no aparece en el currículum de una parte importante de los países europeos antes de los 7 años.) Lo que hacen muchos países es ayudar a los niños a adquirir experiencia del mundo que les rodea, centrándose poco a poco en los "estudios locales" o "estudios ambientales" en los últimos cursos de la escuela primaria.

En consecuencia, para los niños de la escuela primaria, la ecoalfabetización podría empezar (como hace ahora el currículum de los *Foundation Years*) desarrollando la conciencia de los niños sobre los fenómenos del mundo que les rodea: materiales, seres vivos, tiempo meteorológico, fuerzas, energía. Las pequeñas ideas llevan a preguntas sobre las grandes ideas, de modo que los niños podrían avanzar hacia la comprensión de las bases principales que han desarrollado los ecosistemas para sostener la red de la vida, bases como:

• Redes (como las redes tróficas).
• Ciclos de la naturaleza (agua, carbono, nitrógeno).
• La transformación de la energía solar (mediante la fotosíntesis, las células solares, la fuerza eólica).
• Biodiversidad.
• Equilibrio.

Esto recuerda la ciencia y gran parte de ello lo es, pero los niños no separan estas ideas de otras cosas importantes, como comprar, comer, la ropa, la música, la TV, los teléfonos móviles, las mascotas, los deportes, y, en todos estos casos, tienen decisiones que tomar, que les afectan a ellos y su ambiente. ¿Qué alimentos son poco saludables o pueden causar alergias? ¿De dónde proviene esta manzana o esta camiseta? ¿Es peligroso utilizar un teléfono móvil? ¿Cómo impedir la muerte de los delfines en las redes de pesca? ¿Deben utilizarse animales en experimentos de laboratorio? En otras palabras, a menudo, niños y niñas quieren saber si están haciendo lo "correcto".

Los niños también están profundamente preocupados por las causas y la injusticia de los conflictos, la pobreza, el hambre, las enfermedades y quién tiene la facultad de decidir, es decir, por la política. Muchos se oponían violentamente a la guerra en Iraq y salieron a protestar contra ella. El estudio de las guerras, el comercio, la tala de árboles, la minería, la pesca de ballenas, la fabricación del chocolate y otros muchos procesos industriales tienen en cuenta la fascinación de los niños por el estudio de otras culturas. Significa también que ellos ven cómo la historia, la geografía, la religión y la economía influyen en las decisiones. Los problemas de este tipo lo son porque provocan puntos de vista muy diferentes, temas de discusión. Son problemas grandes porque afectan a todo el mundo, aunque, a menudo, no nos demos cuenta. Veamos un pequeño ejemplo:

> El café es el producto agrícola, después del aceite, que más tráfico genera en el mundo. Desde el cafeto hasta la taza atraviesa 16 etapas. En cada una de ellas, alguien saca algún beneficio. El precio de un kilo de café instantáneo es unas 70 veces el precio que un agricultor cobra por su grano. ¿Esto es justo? ¿Quién os parece que está sacando el máximo beneficio?

Cuando los niños se entusiasman con este tipo de aprendizajes sobre cosas que les importan (¡aunque probablemente no tomen mucho café!), pueden llevar a cabo lo que ya les encanta hacer, que es rediseñar su medio ambiente. En Islandia, por ejemplo, la "Educación para la innovación" ya es una materia básica —*la* materia básica— y centra la atención de los niños en inventar soluciones prácticas a problemas reales que hayan descubierto. Por consiguiente, la ecoalfabetización lleva a pensar en el "ecodiseño", que significa repensar en unos sistemas de cosas tales como la producción y la distribución de alimentos, la generación de energía, el diseño del hogar, el transporte, que sean sostenibles, con el fin de satisfacer las necesidades actuales de los niños de manera que no pongan en peligro las oportunidades de las generaciones futuras. Éstos son los temas que abordamos en la Segunda Parte, indicando formas prácticas de promover la indagación y la invención infantil. Por ejemplo, calcular las "millas por alimento" recorridas por frutas importadas puede llevar a los alumnos a investigar formas de minimizar el consumo de combustibles fósiles en el transporte de alimentos. También podemos animarles para que comiencen a cultivar sus propios productos: en algunas escuelas de Amsterdam, por ejemplo, cada niño tiene derecho a su "jardín escolar", una franja personal de huerto comunitario en el que ellos aprenden a plantar y cultivar por su cuenta.

El currículum ecoalfabetizador requiere una dimensión local. La producción "sostenible" de alimentos o la conservación "sostenible" del agua exige prestar atención a cosas diferentes en East Anglia, en Cornualles o en el Lake District y en Malí o Zimbabue. Los niños pueden debatir problemas como los siguientes:

> En una zona rural de un país africano, una organización caritativa británica construyó la traída de aguas a una aldea que nunca había tenido agua corriente e instaló un grifo en el centro del pueblo. Sin embargo, al cabo de unos días, la tubería apareció destrozada en varios puntos. ¿Por qué? El agua potable más cercana era la de un río, a unos 30 minutos andando: los chicos del pueblo tenían un carro tirado por un burro, provisto de un gran bidón de aceite, que llenaban con el agua que vendían a los aldeanos. La conducción del agua había acabado con su fuente de ingresos, por lo que la destrozaron. ¿Qué había que hacer?

Éste es un problema muy diferente del de Cornualles, en el que los habitantes se oponen a pagar las tasas de agua y de aguas residuales más elevadas del país, para ofrecer a los veraneantes de otras partes unas playas limpias. ¿Qué se puede hacer al respecto?

La basura es otro problema local. El reciclado y la gestión de los desperdicios significan una cosa para los niños de una zona agrícola y otra diferente en una ciudad. Hace 60 años, el 60% del contenido de un cubo de basura era ceniza de la cocina de carbón. Ahora, es más probable que el cubo de la basura tenga un 60% de plástico. Antes de que los niños piensen qué hacer, hay que descubrir la situación de su zona: ¿pueden reciclar el plástico? Si no pueden, ¿por qué no? ¿Por qué tienen contenedores de reciclado en la cercana ciudad y no los tenemos en el pueblo? De pronto, se ve la relación de estos simples "hechos" con otras cuestiones, como el coste de la recogida y la demanda de plástico. (¡Con las botellas de leche de plástico puede hacerse un espumillón sintético para embalaje caro!)

Del mismo modo, el desempleo, el transporte público, la energía renovable y una vivienda asequible son problemas más importantes para algunas familias y sus comunidades que para otras. Sin embargo, al cabo de 5 años, la legislación europea exigirá el reciclado de todos los aparatos eléctricos, una decisión que nos afecta a todos. Un currículum de ecoalfabetización debe imponer estas grandes ideas que merece la pena abordar, dejando los detalles y las opciones a los maestros y a los expertos locales.

Esto no significa que la ecoalfabetización tenga que resultar seria, plagada de problemas y triste. Los niños pueden actuar de muchas maneras: la filosofía de "¡tú puedes...!" es la piedra de toque de una buena ecoalfabetización. En la actualidad, muchas escuelas tienen contenedores de abono y de gusanos y a los niños les encanta examinarlos, aunque sólo sea por el olor. Las escuelas primarias pueden aplicar y, de hecho lo hacen, principios ecológicos: ya existe y prospera un movimiento de ecoescuelas, pero podrían hacer mucho más si tuvieran libertad para ello y si establecieran vínculos entre las escuelas. Las redes son importantes.

El hecho de preocuparse por la ecoalfabetización hará más necesaria y más posible la cooperación. Cualquier escuela está próxima a alguna de estas instalaciones: un vertedero, un centro de reciclado, un matadero, un supermercado, una fábrica, una granja, un aeropuerto, un puerto, una reserva natural, un edificio importante, una planta de tratamiento de aguas residuales, una central eléctrica o un centro ecológico. Todos éstos son lugares reales, en donde las cosas reales que poseen fascinan a los niños que los visitan. La interacción directa de las escuelas con esas fuentes de actividad sostenible (o no sostenible) del mundo real constituye una forma valiosa de adquirir una visión de primera mano y de dar mayor relieve y profundidad a su comprensión. En el Capítulo XI, presentamos ejemplos de cooperación eficaz y de cómo establecerla.

Las relaciones de cooperación llevan inevitablemente a los niños a observar sus hogares y sus escuelas, para ver el modo de hacer que sean más ecoagradables. En la competición "La escuela que me gustaría", los niños rediseñaron sus escuelas de un modo impresionante y original para que fuesen unos lugares más adecuados para el aprendizaje, como puede verse en pág. 24.

La formación del profesorado tendrá que reflejar este repensamiento del currículum. En la Universidad de Exeter, nuestra especialidad de ciencias del PGCE de Primaria ha evolucionado hasta convertirse en una especialidad de ecoalfabetización, en donde los estudiantes tienen unas prácticas adicionales de trabajo con niños en entornos extraescolares, como un centro ecológico, un zoológico, un vertedero, una granja o el *Eden* Project*. Hicimos estos cambios porque descubrimos que los alumnos los demandaban con toda claridad: muchos de los especialistas de ciencias de primaria que reclutamos están titulados en Ciencias Ambientales y quieren trabajar con niños fuera de los ámbitos escolares formales tanto como en las escuelas. De ellos unos vienen de otros países y nos proporcionan perspectivas y conocimientos diferentes y valiosos. Algunos de nuestros estudiantes hacen sus prácticas en otros lugares y vuelven con ideas nuevas y también interesantes.

¿Las escuelas primarias inglesas están preparadas para este cambio? ¿Ustedes, maestras o maestros, están preparados? No hace mucho, envié

---

* El *Eden Project* se fundó como uno de los proyectos *Millenium* de referencia y está estructurado como una fundación educativa sin ánimo de lucro. Su misión consiste en promover la comprensión y la gestión responsable de la relación vital entre plantas, personas y recursos que lleve a un futuro sostenible para todos. Está situado en Cornualles y formado por dos grandes invernaderos (que producen sendos biomas) construidos sobre un cráter, cada uno de los cuales mantiene las condiciones de humedad y temperatura características de dos grandes áreas: trópicos húmedos (pluviselvas e islas tropicales) y zona templada (Mediterráneo, Sudáfrica y California), más un tercer "bioma" al aire libre, que recoge las condiciones propias de Inglaterra y de la zona templada atlántica. *(N. del T.)*

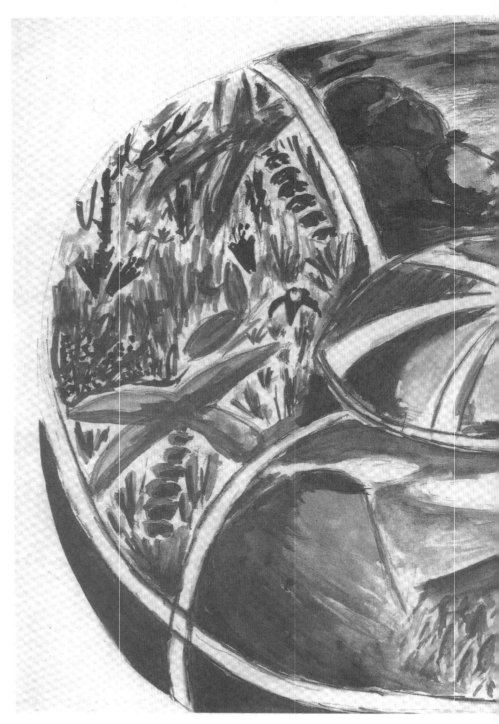

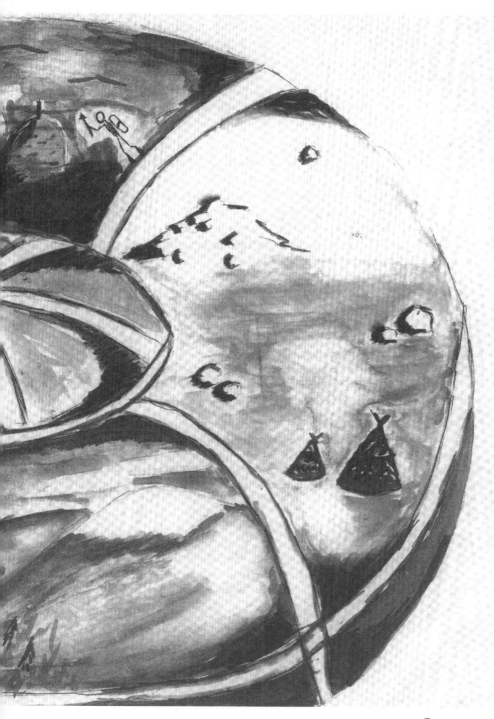

una copia de este capítulo a un director escolar para que me comunicara sus puntos de vista. "¡A los chicos les encantaría!" es cuanto dijo y todo lo que tenía que decir. Esto puede suponer dejar como están las áreas básicas de la alfabetización y la aritmética, por ahora al menos, mientras centramos el resto del currículum en torno a dos áreas características: ecoalfabetización y artes creativas; pero esto nos acerca también a las prácticas de muchos países europeos y de otras partes. Se ha demostrado que la "Educación para la innovación" de Islandia, por ejemplo, libera la creatividad y la imaginación naturales de los niños.

En el futuro, es probable que haya más oportunidades de realizar un trabajo transversal. Cualquiera que haya visitado los proyectos de arte de las escuelas en el *Eden Project* habrá contemplado una gran demostración de cómo pueden ver y celebrar los niños las relaciones entre las plantas, las personas y el mundo que los rodea, creando dibujos, esculturas, *collages* y estructuras. En todo el mundo, la música, el teatro, la narración y la danza son formas clave mediante las que las personas transmiten importantes mensajes ecológicos sobre los cultivos, la lluvia, el suelo, los bosques, los animales y sus creencias espirituales: las tallas y pinturas de los primeros pobladores de Norteamérica y la música y la danza de África e India son una amplia demostración de ello. Más próximo a nosotros, no hace mucho he tenido la oportunidad de ver cómo unos niños de Cornualles creaban una danza para contar la historia de lo que aprendieron en una visita a un centro ecológico. Estaban completamente absortos.

Ninguna de estas ideas es nueva. Hace 40 años, durante la última reacción importante contra el exceso de tests y de ejercicios, la directora de una escuela primaria de Yorkshire escribió lo siguiente sobre el trabajo creativo en su escuela:

> La belleza que procedía de estos niños no podían haberla impuesto el ambiente ni unos maestros especialmente seleccionados, porque no somos más que un montón de gente nada artística, sino que el deseo de crear surgió porque le permitimos vivir y porque, quizá, de alguna manera, fuimos capaces de comprender por qué estaba allí.
>
> (Citado en Darvill, 2000, pág. 13.)

Como maestro y formador de maestros de ciencias, creo que debemos persuadir al DfES* y a la TTA** de la necesidad de debilitar los límites que rodean el currículum de ciencias, y de organizar el aprendizaje en torno a lo que los niños (apoyados por expertos internacionales como los antes men-

---

* *Department for Education and Skills*: literalmente "Departamento para la Educación y las Aptitudes". *(N. del T.)*

** *Teacher Training Agency* u "Organismo para la Formación del Profesorado". Desde el 1 de septiembre de 2005, es la *Training and Development Agency for Schools* (TDA) u "Organismo para la Formación y el Desarrollo para las Escuelas", responsable de la formación inicial y de la formación continua del profesorado. *(N. del T.)*

cionados) consideran cosas importantes que aprender en el siglo XXI. Tenemos que dar libertad a los alumnos para que establezcan conexiones, para que se enfrenten a cosas reales que les importan, para que debatan e inventen, para "permitir vivir", como decía la directora. Escuchen a los niños; después, reflexionen sobre ello. La última palabra de este capítulo pertenece a un alumno:

> Mi escuela ideal sería un planeta entero. Estaría dividido en cuatro secciones... compuesta cada una de ellas por un terreno específico con su propia cultura y su propia forma de vida. En cada sección habría un gran telescopio para ver el terreno. Las cuatro secciones serían: Desierto; Bajo las Aguas; Montañas y Volcanes, y Jungla. Los alumnos viajarían en grandes grupos de distintas edades para promover la interacción social y el respeto. En cada sección, aprenderían diversas destrezas, pero el punto fundamental de las zonas serían las experiencias vitales... y las destrezas de supervivencia particulares de cada zona. Cada sección tendría su lenguaje asignado, de manera que los alumnos abandonarían la escuela con varios idiomas. La economía social se combinaría con la integración cultural y la superación de las diferencias... Los alumnos tendrían que someterse a dos tests: de valor, habilidades físicas e ingenio, y de destrezas mentales y cómo sobrevivir con recursos naturales. Otro test se realizaría en grupo para poner a prueba la cooperación. De este modo, todos los estudiantes obtendrían conocimientos de cada terreno, experiencia del mundo real, promoverían su autorrealización y la construcción de la personalidad, adquirirían destrezas de trabajo en equipo, automotivación y conciencia —y aptitudes vitales— de cómo adaptar los conocimientos al uso...
>
> (Cara, 14 años, Winchester, en BURKE y GROSVERNOR, 2003.)

Es éste un fuerte llamamiento a la ecoalfabetización que no podemos permitirnos ignorar.

CAPÍTULO III

Ideas clave de la ecoalfabetización

El problema de las "grandes ideas"

Existe siempre el peligro de que la gente reaccione de forma negativa a las grandes ideas y a las grandes palabras. "Desarrollo" y "sostenibilidad" son vocablos que no se discuten, deben de ser cosas buenas, pero no ayudan a decidir qué enseñar el lunes por la tarde.

¿Qué debemos entender que significa "estar ecoalfabetizado"? ¿Qué pondría en el Glosario de términos de la carpeta de anillas del "Plan Nacional de Ecoalfabetización"? El *National Literacy Strategy Glossary** tiene más de 100 términos "dirigidos a los maestros", con conceptos como: *Calligram***, *Cinquain****, *Clerihew*****, *Ellipsis******, *Eulogy*******, *Logograph********, *Morpheme********* y *Portmanteau**********. De aquí saldrá sólo con una docena, más o menos. Y está muy bien contemplar las grandes ideas de distintas maneras.

---

* "Glosario del Plan Nacional de Alfabetización". (*N. del T.*)

** *Calligram*: diseño en el que las letras de una palabra se disponen de manera que formen una figura, como en un sello, por ejemplo. No se corresponde exactamente con el concepto que designa el término español "caligrama", que es un escrito, poético por regla general, cuya disposición tipográfica pretende representar su contenido. (*N. del T.*)

*** *Cinquain*: estrofa de cinco versos y, más en concreto, aquella cuyos primer y último versos suelen tener 2 sílabas; 4, el segundo; 6, el tercero, y 8 el cuarto, con cadencia yámbica. (*N. del T.*)

**** *Clerihew*: poema cómico o satírico de cuatro versos de arte menor, formado normalmente por dos pareados (estructura *aabb*). (*N. del T.*)

***** *Ellipsis*: elipsis. (*N. del T.*)

****** *Eulogy*: panegírico. (*N. del T.*)

******* *Logograph*: símbolo que representa una palabra ("€", por ejemplo) o un morfema ("&"), o signo convencional que simboliza alguna entidad u organismo (por ejemplo, la corneta de Correos). (*N. del T.*)

******** *Morpheme*: morfema. (*N. del T.*)

********* *Portmanteau* (o *portmanteau word*): vocablo compuesto por la fusión de dos palabras. Puede utilizarse también con el sentido de *counterword*: palabra que tiene un amplio y vago conjunto de significados. (*N. del T.*)

Ser una persona ecoalfabetizada

... significa comprender cómo están organizados los ecosistemas y vivir según estos principios. Por tanto, las grandes ideas de la ecoalfabetización son, más o menos, las grandes ideas de los ecosistemas o la ecología: cómo interactuamos con nuestro entorno.

La primera idea, la de las *redes*, es la más importante. Todos los sistemas vivos están interconectados de maneras complejas y tenemos que entender estas conexiones para comprender cómo influyen unas cosas sobre otras. Por ejemplo, hay redes vivas de plantas y animales; redes sociales de personas; redes organizativas para facilitar el comercio, y redes de comunicaciones, basadas a menudo en Internet y en los teléfonos móviles. Un cambio en un punto de la red puede tener efectos en otros muchos lugares de la misma; lo que Vd. haga (como enviar un mensaje con un virus) tiene consecuencias para otras personas desconocidas. Comprender las redes es tan importante para la ecoalfabetización que el próximo capítulo está dedicado a aclarar lo que éstas son y cómo operan.

Relacionados con las redes están los diversos *ciclos* de la naturaleza: todos los niños han estudiado el "ciclo del agua", pero la misma importancia tienen para la vida el "ciclo del carbono" y el "ciclo del nitrógeno", así como lo que podríamos llamar "ciclo de los desechos". En cierto sentido, en un ecosistema vivo no los hay: el desecho de un ser vivo es el "alimento" de otro. Los excrementos de vaca proporcionan alimento a las moscas, estiércol para los campos, biogás para cocinar en Tanzania, combustible para quemar en India y material de construcción en muchos países. El alimento se convierte en abono y ayuda a crecer a la hierba que sirve de alimento a las vacas. Los ciclos son siempre redes cerradas, en las que el cambio rota y retroalimenta.

Las redes y los ciclos suponen también un *equilibrio*. La vida se ha sostenido en este planeta durante millones de años mediante redes compensadoras; las ideas bíblicas sobre las plagas se ven reflejadas ahora en la forma en que el exceso de población de las especies se compensa gracias a las epidemias periódicas o a períodos de sequía y hambre. El mar está todavía lleno de peces, pero, si llevamos demasiado lejos la pesca industrial, puede que lleguemos a un punto en el que, como en la isla de Pascua, se perturbe el equilibrio en tal grado que desaparezcan el bacalao u otras especies, sin posibilidad de recuperación. Sin embargo, en otra parte de la red, la vida de los pescadores depende de sus capturas...

Tras equilibrar los ecosistemas en forma de redes y ciclos, vienen las *energías renovables*: las diversas fuentes de energía que no se agotan, como ocurrirá con el carbón y el petróleo. Estar ecoalfabetizado supondrá comprender cómo se transforma la energía del sol, la energía renovable primordial, en energía química mediante la fotosíntesis, y cómo, después, las plantas proporcionan energía a los animales en forma de alimento. Hay también interesantísimos desarrollos nuevos en el campo de los bioplásticos, o plásticos que pueden "cultivarse" y, por tanto, son biodegradables después de su uso. Parece que, pronto, más del 90% de los componentes de su automóvil podrá "cultivarse" y reciclarse cuando éste se desguace.

La energía renovable adopta otras muchas formas. Ya estamos familiarizados con los parques eólicos en el Reino Unido, pero, ¿somos conscientes de que producimos mucha menos energía a partir del viento que la mayoría del resto de los países europeos, aunque es muy probable que tengamos más viento que ellos? La energía eólica es un buen ejemplo del impacto a través de redes, porque a algunas personas no les gusta, bien porque los parques eólicos son muy ruidosos, si se vive cerca, bien porque resulten antiestéticos en zonas de gran belleza, o porque, como dice el ministro de defensa, interfieren los radares de los aviones militares. Como las antenas de la telefonía móvil, crean problemas al tiempo que resuelven otros. No puede ignorarse la influencia en otras partes de la red. A pesar de ello, el gobierno ha decidido no hace mucho seguir adelante con el desarrollo de grandes parques eólicos en el litoral*.

Están después la energía hidráulica y la de marea, de las olas y de los ríos, muy utilizada ya en otros países, que se va introduciendo aquí poco a poco; y la energía de la biomasa, que supone cultivar ciertas plantas, como sauces y álamos, para quemarlas y producir electricidad. En Yorkshire, hay una central eléctrica de este tipo, pero, en el momento de redactar este texto, está amenazada de cierre porque todavía no resulta económica. No obstante, muchos agricultores de la región han firmado contratos para "cultivar" combustible para la central eléctrica (véase: *The Guardian*, 31 de mayo de 2003). ¿Qué consecuencias se derivan de esta complicada situación? ¿Quién toma las grandes decisiones? ¿Hace falta estar ecoalfabetizado para hacerlo correctamente?

De todos modos, ya se quema gas metano de vertederos para producir energía eléctrica para la *National Grid***: en Somerset, por ejemplo, un vertedero produce energía suficiente para abastecer a una población pequeña.

Dada la cantidad de vertederos, podría hacerse mucho más uso del "zumo de basuras", como lo llamó un niño.

Una de las cosas que más llaman la atención del entorno rural inglés es la diversidad de plantas, animales y paisajes. Esta *biodiversidad* es natural y existe por muy buenas razones. Destruir (o introducir) especies que desempeñan un papel clave en la red ecológica puede tener consecuencias imprevisibles y posiblemente desastrosas, lo que no quiere decir que sea un desastre la erradicación de cualquier tipo de criatura. Hay más de 80.000 tipos de escarabajos en el planeta, pero sólo dos clases de elefantes, por lo que su erradicación tendría consecuencias mucho peores que la aniquilación de dos tipos de escarabajos.

---

* En España, la web del Ministerio de Industria, Turismo y Comercio ofrecen abundante información, en especial la Dirección General de Política Energética y Minas (http://www2.mityc. es/energia)

** La *National Grid Transmission* es la compañía propietaria y responsable del mantenimiento de la red de alta tensión de Inglaterra y Gales. *(N. del T.)*

Generador de metano de Wyvern Waste* *en el vertedero Dimmler, de Somerset.*

Unas cuantas grandes ideas más y cómo abordarlas

La ecoalfabetización podría estar comenzando a parecer ciencia. No es así. Hay ideas igualmente importantes que no nacen de la ciencia y la mayor de ellas es la *ética*. Los niños están siempre dispuestos a preguntar: "¿Es justo...?" A menudo, se trata de importantes cuestiones éticas. ¿Debemos utilizar combustibles como el petróleo que hagan más cálido el clima del planeta? ¿Debemos cultivar y comer alimentos modificados genéticamente o clo-

---

* *Wyvern Waste Services Ltd.* es una compañía de recogida, manipulación y reciclado de residuos. (*N. del T.*)

nar animales sin conocer todas las consecuencias? ¿"Debemos" hacer que los medicamentos contra el SIDA sean más fáciles de adquirir y más baratos en África? ¿A quién le pertenecen los conocimientos de nuevos medicamentos descubiertos en la pluviselva? ¿A quién deben beneficiar?

Hay incluso preguntas más enrevesadas que se relacionan con la cultura y las creencias de la gente. Muchos de los principales conflictos actuales son consecuencia de creencias opuestas. ¿Debemos erradicar la circunsición femenina y, si hay que hacerlo, cómo debe imponerse? ¿Cómo podemos prestar servicios a los pueblos nómadas? ¿Quién tiene derecho a la tierra que se disputan Israel y Palestina? Nuestra forma de abordar como maestros este tipo de cuestiones a medida que surjan ocupa el centro de este libro; no sólo tenemos que ecoalfabetizar a nuestros alumnos, sino también a nosotros, y hay cuestiones importantes para las que no existe una respuesta sencilla. Lo relevante para la ética es el importante sentido de la *responsabilidad*: qué hicimos cuando tuvimos la oportunidad, sabiendo lo que sabemos. ¿De qué tenemos que responsabilizarnos ante nuestros niños, que podamos haber pasado por alto?

La última de las ideas clave, por ahora, pero, probablemente, la más pertinente para nuestra enseñanza, es el concepto del *ecodiseño*, porque la alfabetización carece de sentido salvo que la utilicemos. Nuestras observaciones de grupos de escolares que visitan el *Eden Project*, por ejemplo, han demostrado que la mayoría de los niños no suele leer los signos y los mapas elaborados para ayudarles a conocer lo que están mirando o el significado de las cosas. Lo mismo puede observarse en la mayoría de los centros que visitan los niños para aprender.

Por tanto, la ecoalfabetización es del todo inútil a menos que la apliquemos con buen sentido. Esto es el ecodiseño y se aplica al rediseño de nuestros hogares, a planificar lo que comemos, cómo nos vestimos, las máquinas que usamos y otras prácticas sociales, como con qué frecuencia utilizamos nuestros coches, con qué periodicidad reemplazamos el teléfono móvil o nuestro televisor e incluso cuándo apagamos las luces, los electrodomésticos y la calefacción central. ¿Ha pasado por el centro de una ciudad por la noche y ha visto los miles de ordenadores que quedan encendidos y en suspenso en los grandes bloques de oficinas? ¿Cuánta energía utilizan? ¿Podría diseñarse una forma más económica de utilizarlos?

Otra forma de ver las cosas: La sostenibilidad

Además de las grandes ideas de los ecosistemas —redes, ciclos, energía renovable (solar), biodiversidad, equilibrio y las "grandes ideas" humanas de la ética y el ecodiseño—, hay otras posibilidades. La primera es la "sostenibilidad".

Una forma sencilla de hablar sobre la sostenibilidad es "usar sin agotar": cuidar los recursos limitados del planeta, de manera que nuestras acciones actuales no penalicen a las generaciones futuras. Si agotáramos todos los árboles del planeta (y estamos haciendo un importante trabajo al respecto), utilizándolos como combustible, en la construcción, para hacer muebles, papel, palillos y todas las demás cosas para las que usamos la madera, la vida sería insostenible; unos enormes cambios climáticos, de pluviosidad y la erosión arruinarían países enteros. Si capturamos y comemos todo el bacalao del Atlántico, ¡las generaciones futuras no sabrán nunca a qué sabe el pescado con patatas fritas!

Sin embargo, esto es una simplificación excesiva. La página web *Education for Sustainable Development** (ESD) de la *QCA*** presenta una serie de definiciones de la "sostenibilidad". En realidad, hay tantas definiciones de "sostenibilidad" como autores que se han ocupado del tema. La más útil es la que usted conciba para sí, a partir de lecturas, reflexiones, conversaciones y de la utilización de su propia ecoalfabetización en desarrollo. No obstante, es bueno considerar, en primer lugar, algunas de estas definiciones, que aparecen en la página http://www.nc.uk.net/esd/ggl.htm, sobre la EDS, de la QCA. Mientras lo hace, plantéese las siguientes cuestiones:

- Para usted, como maestro, ¿qué clase de aprendizaje profesional fomenta esta página web? ¿Es para docentes o para administradores? ¿Predica a los convertidos, a los recién interesados por el tema o es para todos? ¿Le anima a colaborar con otros?
- ¿Qué da por supuesto acerca de la EDS? ¿Representa una postura conservadora establecida o diversos puntos de vista diferentes?
- ¿Le incita a querer saber más o le provoca rechazo?

Seis niveles de relación

El personal de *The Living Rainforest Centre**** señala que la EDS puede girar en torno a seis niveles de relación:

PLANTAS
ANIMALES
ECOSISTEMAS
NECESIDADES HUMANAS
ECONOMÍA
CULTURA

---

* "Educación para un desarrollo sostenible (EDS)". *(N. del T.)*

** *Qualifications and Curriculum Authority*: "Organismo para las titulaciones y el currículum", organismo autónomo, no perteneciente a la estructura de ningún departamento ministerial, patrocinado por el *Department for Education and Skills. (N. del T.)*

*** "Centro de la pluviselva viva": se trata de una organización sin ánimo de lucro dedicada a la enseñanza ecológica en contexto, cuyas instalaciones recrean la pluviselva, con sus plantas y animales, orientada a la información y formación ecológica. (*N. del T.*)

A los niños puede resultarles más fácil de entender esta forma de ver las cosas que las grandes ideas abstractas de los ecosistemas. Los niños pueden partir de una pregunta como: *"¿Están amenazadas las pluviselvas?"* También: *"¿Necesitamos las pluviselvas?"* Después, podemos enseñarles las plantas que crecen en la pluviselva, como el cacao, el café, los plátanos, las maderas nobles, las nueces, la vainilla. La visita a *The Living Rainforest Centre* o al *Eden Project* es una forma magnífica de realizar esto. Después, podrían seguir descubriendo aspectos relativos a los animales que viven allí, como los gorilas, cocodrilos, camaleones, los diversos monos, las serpientes, los insectos y la dependencia de todos ellos de las plantas. Si seguimos de arriba abajo la cadena de relaciones, los niños pueden ver con facilidad que los humanos dependemos de la pluviselva: un filme como *The Ape Hunters** (BBC TV) plantea cuestiones importantes en relación con nuestra forma de pensar en la preservación de los chimpancés como adorables mascotas, y con la de los pueblos de África occidental, que los consideran alimento. Los niños comprenden perfectamente este tipo de conflictos de intereses, pero les resultan difíciles de resolver. ¿Qué puede significar "conservación" en este contexto?

El paso siguiente sería considerar el comercio de maderas, café, cacao, animales... y otras actitudes culturales con respecto a la "jungla", que es como muchos niños del Reino Unido ven la pluviselva. Al hablar con los niños en el *Eden Project*, descubrimos que la mayoría creen que nadie viviría por gusto en la pluviselva. A menudo, piensan que las cabañas malasias son para personas que se han perdido o cuyo avión se haya estrellado. He llamado a esto el "efecto Attenborough", dado que los asombrosos filmes naturalistas de David ATTENBOROUGH frecuentemente no señalan la presencia de humanos en los ambientes que estudia. En *Eden*, los niños no suelen percatarse de la presencia del jardín de la cocina de la cabaña malasia, con su abundancia de frutas y verduras. Pensaban que las personas que estaban allí obtenían sus alimentos buscándolos en la "jungla" o comprándolos en la tienda.

Partiendo de ideas sencillas, tenemos que ayudar a los niños a comprender que la interdependencia es más compleja. En cada etapa, se desarrolla algo más su ecoalfabetización. Un aspecto que adquiere cada vez mayor importancia es el del sesgo: ¿las organizaciones "verdes" presentan sus argumentos de manera justa? ¿Los departamentos gubernamentales ocultan pruebas o maquillan los números para dar más fuerza a sus argumentos? ¿Qué pruebas de los científicos son fiables? La crisis de las armas de destrucción masiva de Iraq ejemplifica la dificultad de saber a quién hay que creer. Los argumentos sobre los sesgos han surgido en relación con la enfermedad de las vacas locas o encefalopatía espongiforme bovina, la epidemia de fiebre aftosa, los alimentos modificados genéticamente, la clonación, la *Escherichia coli*, la limpieza del agua del mar y de las playas, el asma y las alergias, entre otros muchos problemas.

---

* "Los cazadores de simios". *(N. del T.)*

Algunos autores sostienen que la EDS tiene que proporcionar a los niños los conocimientos necesarios para tomar decisiones informadas en relación con su postura en estas cuestiones. Creo que ésta es una exigencia poco razonable, en parte porque nadie puede saber nunca bastante, y en parte porque los niños también deben conocer dónde y cómo pueden hacer valer su visión. Gritar ante la TV puede conseguir que te sientas mejor, pero no cambia nada.

Michael ROTH (2003) sostiene, en cambio, que los niños deben aprender a participar en debates, en su escuela o comunidad local, sobre las cuestiones que tengan una importancia real en sus comunidades. Tienen que aprender dónde descubrir cosas, cómo actuar juntos para conseguir que éstas se hagan, cómo influir en las personas. En otras palabras, la ciencia y la ciudadanía activa son factores de igual importancia en una ecoalfabetización eficaz y no hay que enseñarlas como si fuesen materias independientes.

Pasamos ahora a las formas prácticas de trasladar esas ideas a la realidad, en las escuelas y en otros lugares.

CAPÍTULO IV

Redes vivas

Sentirse interconectados

Coja un ovillo de cuerda y siente a sus alumnos en círculo. Sostenga un extremo de la cuerda y láncele el ovillo a un niño. Dígale que agarre la cuerda y lo lance a otro niño y así sucesivamente hasta que todos los alumnos formen parte de la "telaraña" de cuerda.

Cuando un niño tira de la cuerda, los demás notan el tirón; todos están interconectados de un modo que no es inmediatamente evidente. Si cortara la cuerda, la red se desmoronaría.

La vida es una compleja serie de tales redes. Formamos parte de muchas de ellas y este capítulo considera algunas.

Ideas que cambian y ecología profunda

Hemos visto que las ideas que tienen que ver con la ecología cambian a medida que comprendemos más las relaciones y las redes que vinculan todos los aspectos de la vida. En cuanto individuos y en cuanto sociedades, dependemos de los ciclos de la naturaleza y de las redes sociales que creamos. Esta nueva forma de ver nuestro lugar en la "red de la vida" se ha denominado "ecología profunda". Como señala CAPRA (2002), en realidad, esta nueva forma de ver nuestra interconexión no es nueva en absoluto, pues subyace a muchas tradiciones espirituales, como las de los indígenas norteamericanos y las africanas, el budismo y la mística cristiana.

Redes que nos resultan familiares: (1) Las redes alimenticias

La primera de las redes, que conocemos bastante bien, es la red alimenticia. He aquí un ejemplo típico de un libro escolar de ciencias naturales, sobre la interdependencia de los seres que viven dentro de una alberca y a su alrededor.

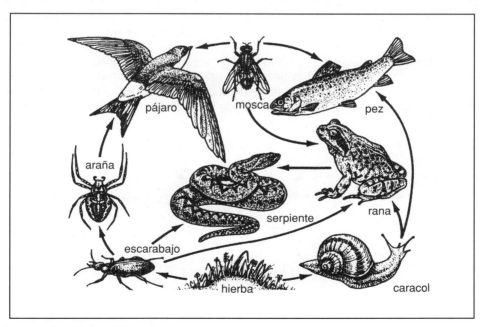

(*Tomado de Science Skills*, pág. 20.)

Las flechas de este diagrama significan *"es comido por..."* Esta red nos dice que las plantas verdes son comidas por los escarabajos y los caracoles que, a su vez, lo son por las ranas, las serpientes, etcétera, hasta que llegamos al gran pez de la alberca que no es ingerido por nadie, salvo por los humanos (a menos que un águila pescadora o un oso extraviado se acercara por allí, lo que resulta bastante improbable). Sin embargo, el gran pez depende de muchas cosas del ecosistema de la alberca; por ejemplo, el tiempo cálido supone más plantas y, por tanto, más comida para todos los herbívoros, mientras que el tiempo frío significa lo contrario. Más cal en el agua implica más caracoles (porque necesitan cal para hacer sus conchas) y más caracoles significan más peces y mayores. Menos cal... puede imaginarse el impacto de estos cambios, igual que los niños. Así, que podemos hacerles preguntas como: *"¿Qué ocurriría si las garzas se comieran todas las ranas?"*

En este tipo de red, los vínculos entre sus distintas partes son *relaciones de alimentación*. El equilibrio se mantiene gracias a los cambios de las poblaciones de peces, ranas, moscas, etc., cuando se modifican otras circunstancias. Si interviniésemos, pescando y comiendo todos los peces (lo que haría muy felices a las ranas y a los caracoles) o contaminando el agua con demasiados abonos de los campos limítrofes, el equilibrio se rompería. Por tanto, el ecosistema de la alberca es equilibrado y sostenible, aunque se mantendrá cambiante si no intervenimos de forma catastrófica. Los vínculos de la red alimenticia pueden considerarse también *relaciones energéticas*; cuando un ser "come" a otro, la energía se transfiere del comido al comedor. Cuando Vd. se alimenta, adquiere energía que puede utilizar. Si no lo hace, se debilitará y, simplemente, se quedará sin energía.

La alberca es una red que tiene unos límites claros (la orilla de la alberca, el aire que está sobre ella y la tierra que está debajo) a través de los cuales fluyen cosas. Así, el *sistema* de la alberca puede verse influido por procesos externos, como muestra este diagrama de un *ecosistema*:

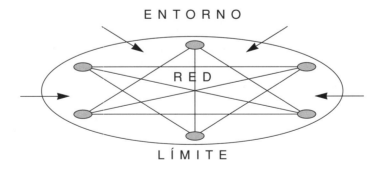

(2) Internet

Otra red que nos resulta muy conocida es Internet, o la *World Wide Web* ("Red Mundial"). Se trata de una red enorme que conecta electrónicamente a cientos de millones de personas y organizaciones. En este caso, lo que fluye entre las partes de la red no es comida, sino información. Por lo demás, las redes son similares, pues un cambio en una parte de la red puede producir efectos muy lejos. Los niños pueden bajar información de bibliotecas y páginas web de todo el mundo; las empresas pueden comercializar sus productos en áreas mucho mayores; casi todo puede comprarse por vía electrónica, incluyendo la música. La exposición de imágenes pornográficas, por ejemplo, ha obligado a instalar filtros para impedir que los niños puedan acceder a ellas y ha llevado también al aumento de los circuitos criminales y pedófilos. Sabemos también lo que ocurre si en una parte de la red entra un virus (una interesante analogía con las redes de los organismos vivos), que puede extenderse rápidamente y hacer que caigan empresas enteras. Hace unos años, un agricultor de Cornualles cortó un cable cuando labraba un campo e interrumpió todo el sistema trasatlántico de comunicaciones, ¡con un coste para las empresas de billones de libras!

Algunas de las mayores empresas del mundo se dedican exclusivamente a las redes electrónicas, como Microsoft y Cisco Systems, y, en consecuencia, tienen un poder enorme. En la actualidad, Cisco se anuncia con el eslogan: *THIS IS THE POWER OF THE NETWORK**:

> Está en sus paredes, en sus edificios, en el aire. Tiene el poder de facilitar las comunicaciones, persona a persona, voz a voz, cara a cara...
> Para protegerse intuitivamente. Para liberar información. Para reducir costes y aumentar los beneficios. Es su red. Tiene todo este poder.
>
> (Cisco Systems, 2003.)

Ahora, utilizamos la red casi sin pensarlo, pero también está empezando a tener una poderosa influencia en nuestra forma de vivir, convirtiendo casi en anticuadas ciertas cosas como los talonarios de cheques, las guías telefónicas, los horarios y los atlas. ¿Acabarán quedando anticuados incluso los libros?

Del mismo modo que en el ecosistema de una alberca pueden influir cosas que estén fuera de sus límites, como el sol y el tiempo meteorológico, Internet depende, en último extremo, de la electricidad, los enlaces de microondas y radio y de la potencia de los ordenadores que utilicemos. ¿Pueden sobrecargarla y desequilibrarla? ¿Pueden secuestrarla? ¿Es sostenible, con independencia de cómo se utilice? Probablemente no: puede haber procesos que la desestabilicen por completo, razón por la que no sería buena idea hacerse completamente dependientes de ella.

---

* En los países de habla hispana, el eslogan publicitario aparece en inglés y la misma empresa, Cisco Systems, lo traduce: "Éste es el poder de la red". *(N. del T.)*

(3) Las células y el cerebro

Las redes alimenticias están vinculadas por las relaciones alimenticias, Internet está unida por pulsos electrónicos y las células están relacionadas mediante procesos químicos. Cada célula de nuestro cuerpo es una red en la que ciertos procesos químicos en los que intervienen el ADN y otras sustancias interactúan para hacernos individuos únicos, estimular el crecimiento, ayudar a reproducirnos. El cerebro y el sistema nervioso, otra red masiva, están unidos por billones de axones y dendritas, la red neural que transmite mensajes entre el cerebro y los órganos sensoriales y músculos.

Por ejemplo, las fascinantes investigaciones recientes sobre cómo vemos han puesto de manifiesto que en los distintos aspectos de la visión intervienen diversas partes del cerebro: unas se ocupan de la forma; otras, del movimiento; otras más, del color, y otras del reconocimiento de rostros. ¿Se ha dado cuenta de lo difícil que es reconocer incluso una cara conocida cuando está boca abajo? Esto se debe a que el cerebro está conectado de manera que sólo reconozca los rostros en su posición normal. Por eso, algunas personas que tienen dañada una parte del cerebro pueden ver —es decir, percibir— perfectamente, pero no son capaces de reconocer ni a su familia; otras no pueden ver movimiento alguno, sino sólo una sucesión de imágenes estáticas. Si llega al cerebro un exceso de información, se desconecta. Por eso no recordamos un accidente de tráfico en el que estemos implicados, por ejemplo, aunque sólo estuviésemos inconscientes unos segundos.

Las redes están entrelazadas

Podemos ver que hay muchos tipos de redes que están unidas de distintas maneras y que interactúan. La función de comer, por ejemplo, implica el cerebro, las redes alimenticias y las células del cuerpo: todas las redes antes mencionadas; y todas pueden trastornarse si consumimos algo tóxico. Por ejemplo, ciertos mariscos me producen una fuerte reacción alérgica: si como mejillones u ostras, se me enrojece la piel, tengo dificultad para respirar, me sube la temperatura, sudo de forma incontrolable, vomito y, al final, puedo sufrir un colapso. Utilizando el cerebro, he aprendido que tengo que evitarlos y, por si acaso los tomo por accidente, he aprendido a llevar un *Epi-pen** para inyectarme yo mismo adrenalina para impedir el choque anafiláctico y quizá la muerte. Además, cuento mi problema a otras personas, con el fin de que no me den marisco. En los restaurantes, pregunto si la salsa tiene marisco. Todas mis redes participan en este proceso de afrontamiento del trastorno del sistema, para reequilibrarlo. ¡Y funciona!

---

* Es una marca comercial de inyecciones precargadas de epinefrina o adrenalina. En España se comercializa el mismo producto con otras denominaciones. *(N. del T.)*

Comunidades humanas

¿Cuáles son, entonces, las conexiones que crean las redes humanas? El ejemplo anterior muestra que el conector clave es el lenguaje: conversación, comunicación. Decimos algo a alguien y eso puede influir en la forma de comportarse las personas. Se lo digo al camarero, él se lo dice al cocinero y yo consigo que el pescado no lleve salsa. Leo un mensaje en mi teléfono móvil y sé dónde encontrarme con mi amigo.

Las redes de relaciones humanas pueden estar regidas por muchas cosas, por ejemplo, las relaciones económicas (dinero). Que usted haga o no algo puede depender de cuánto le paguen o de quién se lo pida o diga. En esas relaciones, el poder está definido por las jerarquías: ¿quién tiene influencia?, ¿a quién se ignora? Si usted grita, ¿quién le escucha? Algunas redes, como las familias o las bandas se han desarrollado para ayudar a reducir la incertidumbre sobre las relaciones. Si cambiamos la naturaleza de la relación en la red (por ejemplo, poniendo a los niños como responsables) se producen conflictos e incomodidades.

Las comunidades humanas, como los demás ecosistemas, pueden tener unos límites claros. En una comunidad, como la escuela, por ejemplo, puede haber conocimientos y valores compartidos, a los que se alude con frecuencia como la "cultura" o el "espíritu" de la escuela. Un centro distinto, al otro lado de la ciudad, puede parecer muy semejante y, sin embargo, tener un conjunto de valores muy diferente, generado por la red de ideas presente en su seno, y las directrices del ministerio, los inspectores de la *Ofsted** o unos fuertes sentimientos de la comunidad de su entorno pueden influir desde el exterior en la red escolar.

Por tanto, una comunidad viva es una red de conversaciones con bucles de feedback: Vd. decide comentar alguna cosa; como resultado, ocurre algo y, más tarde, alguien le dice cuáles han sido las consecuencias. La información sobre dichas consecuencias le llega a través de distintos medios. Por ejemplo, decide llevar de excursión a sus alumnos; ellos lo comentan a sus padres y llega a sus oídos la preocupación de que el paseo va a ser demasiado costoso, por lo que debe reconsiderarlo.

Por otra parte, todos sabemos que, a veces, las personas no se dan cuenta en absoluto de lo que otras están diciendo. ¿Qué determina, por tanto, que el resto de la red tenga en cuenta un mensaje conversacional? La investigación indica que los mensajes influyen si hay un respeto mutuo; si las personas dedican tiempo a pensar en lo que se haya dicho; si ambas partes están preparadas para escucharse mutuamente; si ninguna parte se dedica a juzgar a la otra, y si el mensaje se refiere a algo que importe a los interesados. En consecuencia, un mensaje puede modificar el equilibrio del pensamiento de una comunidad. A veces, lo interpretamos como crecimiento, cambio, innovación,

---

* *Office for Standards in Education*: Organismo responsable de la inspección educativa no universitaria en el Reino Unido. *(N. del T.)*

desarrollo. ¿Su escuela es un lugar, una "escuela pensante" o su red es impermeable a las ideas? ¿Puede modificarse e instaurar un nuevo equilibrio o hay ocasiones en las que un cambio propuesto parece insostenible?

Redes informales y redes diseñadas

Ciertos tipos de comunidades aparecen como resultado de la interacción continua dentro de redes vivas. Desde el punto de vista darwiniano de la biología, de este modo han evolucionado los ecosistemas durante millones de años, mientras que un creacionista diría que los sistemas vivos del mundo fueron diseñados por el Creador.

Las redes también existen en las organizaciones humanas. Algunas evolucionan o emergen; son redes informales y cambian continuamente. También hay estructuras diseñadas: organizaciones. Cada empresa, club o escuela tiene su estructura administrativa, que es una forma de interactuar diseñada. Por ejemplo, en un club de fútbol, si a Vd. le escogen para formar parte del equipo, se espera que salga a jugar en un momento determinado; de lo contrario, se verá afectado todo el equipo. Por regla general, las estructuras diseñadas parecen inamovibles, mientras que las emergentes se adaptan. Sin embargo, todas las organizaciones necesitan ambas: es evidente que su escuela tiene tanto una estructura de gestión como una red informal. ¿Cómo funcionaría sin ella? ¿Permanecería en equilibrio?

Si cree que no funciona bien tal como está, tiene que entenderla, de manera que pueda ver cómo cambiarla. Si supiera qué preguntas hay que hacer, ¿podría cambiar Vd. las cosas limitándose a estimular un continuo cuestionamiento del statu quo, recompensando las innovaciones positivas o fomentando las conversaciones, en vez de suprimirlas? Es posible que vea formas de relajar (o tensar) la estructura administrativa para hacerla más flexible (o más eficiente). En nuestro lenguaje, esto se llama "pensamiento sistémico". En relación con este libro, se refiere a desarrollar nuestra ecoalfabetización acerca de nuestra propia red y su forma de operar. Quizá Vd. no sea capaz de modificar la estructura administrativa por su cuenta, pero, sin duda, ¡puede utilizar la red informal! Y todos ustedes son interdependientes, lo que debería infundir suficiente motivación para querer mejorar las cosas.

Enseñanza sobre redes: El ejemplo de la comida

Los últimos cincuenta años han presenciado una nueva revolución industrial: la revolución de la producción y el consumo de alimentos. La finalidad de la comida es la nutrición y esto no ha cambiado, pero todo lo demás sí: lo que contiene, su procedencia, la diversidad disponible, cómo se produce, empaqueta, transporta, cocina y consume.

Cuando se enseña a los niños lo referente a la comida, es demasiado fácil predicar o bombardearlos con datos. Los antecedentes y las clases magistrales no suelen modificar la conducta; lo que sí influye es la forma de comportarse de las personas que ellos respetan, sobre todo en el caso de los niños pequeños. Lo que Vd. y su escuela hagan sí puede influir.

La comida es un buen ejemplo del lugar de interacción de muchas redes: redes alimenticias, relaciones humanas, fuerzas económicas, publicidad, cambio climático. La sequía o las inundaciones en un país lejano pueden influir en el precio y el suministro de alimentos producidos en una granja inglesa. Gran parte de la comida que consumimos viaja miles de kilómetros hasta llegar a nosotros; el desplazamiento medio efectuado por los camiones del supermercado es de más de 160 kilómetros. Es raro que sepamos qué añaden los fabricantes a los alimentos que producen o cómo los tratan. "Fresco" puede querer decir muchas cosas; hay pescado "fresco" que ha viajado 1.500 km hasta llegar al mostrador de la pescadería del supermercado. Por tanto, tenemos que:

- Comprender el ciclo alimenticio.
- Ejemplificar ante los niños unas conductas adecuadas.
- Estimularlos para que hagan las preguntas pertinentes sobre la comida.
- Proporcionarles las destrezas y oportunidades precisas para descubrir aspectos de los alimentos que consumen y para tomar buenas decisiones.
- Animarlos a que comuniquen lo que descubran a sus padres.

El ciclo alimenticio

Los seres vivos, sobre todo las plantas verdes, forman una parte esencial de nuestro ciclo alimenticio, como muestra el diagrama de la página siguiente. Sus raíces toman del suelo agua y minerales, los fluidos ascienden hasta las hojas y se combinan con el dióxido de carbono del aire para producir azúcares (el alimento de la planta) y celulosa (para formar sus hojas y tallo). Al mismo tiempo, se libera oxígeno al aire. Todo el proceso, denominado "fotosíntesis", está impulsado por la luz solar. Por tanto, en contra de lo que creen muchos niños, la mayor parte del alimento de la planta procede del aire (dióxido de carbono), no del suelo. Cuando consumimos alimentos, devolvemos al aire dióxido de carbono y agua al respirar, sudar e ir al cuarto de baño.

Prácticas adecuadas en la escuela

Para ello, hace falta conocer los hechos principales de la producción, transporte y consumo de los alimentos. Hay muchas fuentes de información. Algunas de las de acceso más fácil son las páginas web o los medios de comunicación, por ejemplo, la serie de *The Guardian* sobre la alimentación (10, 16 y 24 de mayo de 2003), en donde se trataba lo que comemos y por

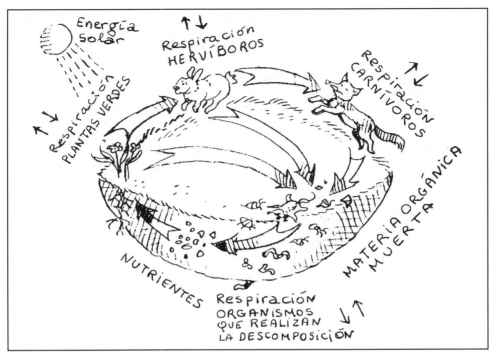

(Modificado de CAPRA, 2002, pág. 173.)

qué lo consumimos. En la red, podemos acceder a fuentes de información locales, nacionales e internacionales. He aquí algunas direcciones útiles:

http://www.ecoliteracy.org/index.html
http://www.who.int/topics/es/

En esta página de consulta de la OMS, hallarán enlaces hacia descripciones de actividades, informes, noticias y eventos, así como hacia los datos para entrar en contacto con los diversos programas y oficinas de OMS que se ocupan de temas de salud como los alimentos genéticamente modificados, aditivos alimentarios, etc. Asimismo, figuran enlaces hacia sitios web y temas relacionados.

http://www.planetark.org/dailynewshome.cfm

Esta página presenta a diario noticias sobre muchos problemas medioambientales, incluyendo los relativos a la alimentación.

De todos modos, la cuestión no es aprender cosas sobre los alimentos: la ecoalfabetización significa comprender de qué manera influyen las redes en los hábitos alimenticios. Por eso, para los niños, es más útil comenzar analizando lo que comen y por qué lo consumen.

¿Qué coméis en una semana?

Los niños pueden anotar los contenidos de su compra semanal y su coste o llevar un diario de sus comidas y analizarlos en relación con la variedad de los alimentos y las cantidades consumidas. Por si les diera vergüenza a los niños manifestar su dieta inadecuada ante los demás, conviértalo en un proyecto privado individual que acabe en un informe o carta a sus padres. La exactitud de sus pruebas es menos importante en esta etapa que darles algo sobre lo que trabajar.

Cuando analicen sus pruebas, empezarán a aprender. Pueden plantearse las siguientes preguntas:

- ¿En qué medida es saludable la comida que consumes?
- ¿Quién decide lo que comes?
- ¿Qué cantidad de alimentos se cocinan en casa y cuales corresponden a "comidas preparadas" precocinadas?
- ¿De dónde procede cada tipo de comida?

Es posible que estas preguntas sean difíciles de responder y, además, llevarán a otras cuestiones como:

- ¿Qué contiene? ¿Qué cantidad es "poco saludable", por ejemplo, de grasa, azúcar, sal?
- ¿Por qué compramos o escogemos esto, en vez de otra cosa? ¿Había otras posibilidades?
- ¿Hasta qué punto nos influye el precio o la comodidad?
- ¿Cómo cocinas los alimentos frescos? ¿Cuánto sabes de cocina? ¿Qué diferencia hay entre elaborar alimentos frescos y comprar los precocinados para calentar en el microondas?
- ¿Por qué consumimos alimentos que proceden de tan lejos? ¿Qué "coste" tiene para el medio ambiente importar comidas del otro lado del mundo?
- ¿Qué pasaría si sólo compráramos alimentos del país? ¿Cómo influiría en los precios, las opciones y la calidad?

Las respuestas no siempre resultan cómodas. Lo importante es el proceso de inducir a los niños a que piensen y hagan preguntas. Puede ayudarles a mejorar sus análisis de las pruebas que tengan poniéndoles ejemplos, como el del comercio del café.

¿Cuánto vale un kilo de café?

Precio en el supermercado (en dólares de EE.UU.):	**26,40**
El agricultor ugandés que cultiva café gana:	00,40
El intermediario (transporte al molino) gana:	00,05
El molinero gana:	00,05
El transportista del grano al almacén gana:	00,02
El exportador gana:	00,19
Costes de transporte a EE.UU./Europa:	01,20

Por tanto, ¿cuánto ganan la compañía cafetera y el supermercado? ¿Qué porcentaje del coste va al productor? ¿Quién tiene el poder para controlar los precios? Éstos son los tipos de preguntas que los niños pueden hacer y responder fácilmente con los datos, y es posible que las respuestas les sorprendan. Lo que hagan con sus respuestas le compete a Vd.; a medida que desarrollen las destrezas relativas a su ecoalfabetización, le harán más preguntas para que Vd. les ayude a continuar.

¿Qué tiene nuestra comida? ¿De dónde viene? ¿Es sana? ¿Quién decide lo que comemos?

Puede adoptarse el mismo enfoque. En primer lugar, asegúrese de que tiene la información que pueda necesitar. Después, haga preguntas clave a los alumnos y ayúdeles encargándoles tareas de recogida y análisis de información.

Los alumnos pueden examinar la influencia de la publicidad haciendo, por ejemplo, una lista de todos los alimentos anunciados por TV entre las 4:30 y las 9:00 de una tarde. Distintos grupos pueden dedicarse a ver canales diferentes y reunir después sus hallazgos. En clase, pueden analizar sus pruebas respondiendo a diversas preguntas:

- ¿Cuántos anuncios iban dirigidos a los niños?
- ¿Qué alimentos anunciados te gusta consumir?
- ¿De ellos cuántos has comido en esta semana?
- ¿Quién los compró?
- ¿Cuánto cuestan?
- ¿Cuáles contienen muchos productos poco saludables (grasa, sal, azúcar, aditivos)?

Los alumnos pueden calcular también los kilómetros recorridos por diversos alimentos incluidos en el carro de la compra semanal de su familia, haciendo una lista en la que figure su procedencia. ¿Por qué es esto un problema? ¿Cómo se puede calcular la cantidad de combustible utilizada por aviones y camiones? ¿En qué medida aumenta esto el dióxido de carbono que contribuye al efecto invernadero?

¿Qué podemos hacer?

Acabar con una nota pesimista no sirve para nada. Todos comemos mal, estamos arruinando nuestra salud y el medio ambiente... ¿qué podemos hacer? ¿Pueden aguantar los niños la presión de los compañeros, de la publicidad y de los supermercados? ¿Cómo?

Las pruebas indican que los padres están preocupados por estas cuestiones, por lo que es fácil que se pongan de su parte, y que la gente confía más en los grupos de consumidores que en los científicos y en los supermercados, por lo que la visita a una asociación de consumidores o la de ésta al colegio puede ser muy útil. La escuela sólo puede facilitar opciones saludables y tiene una normativa sobre los alimentos. El hecho de consultar e implicar a los padres y utilizar la red de comunicaciones servirá para reforzar su influencia. La mayoría de los niños ingleses nunca ha estado en contacto con un agricultor, por lo que necesita ver la conexión entre los animales, las plantas y los alimentos. Llévelos a una finca, huerta, matadero, invernadero, planta de procesamiento de alimentación o huerto arrendado por el municipio a particulares. Anímelos a que hagan preguntas y que no se conformen con respuestas fáciles.

Los maestros deben prepararse de antemano para la visita. Si la experiencia es tan nueva para ellos como para los niños, será difícil que les ayuden. Haga una visita previa; recoja información de páginas web; téngala a mano durante la entrevista. Recoja ejemplos de productos alimenticios relevantes. Procure resistirse a elaborar de antemano una hoja de trabajo, aunque quiera tener una para después de la visita. En el trscurso de ésta, no dé a los alumnos la impresión de que están allí sólo para descubrir las cosas que Vd. desea que sepan. Deben tener la sensación de que van a buscar cosas por su cuenta, a establecer conexiones, a utilizar la mente. No se trata de poner las palabras bien escritas en las casillas correctas, sino de mirar y escuchar con atención, advertir cosas que los demás (incluido Vd.) quizá no hayan observado.

Relacionar cosas: El consumo de alimentos como ejemplo de redes enlazadas

La ecoalfabetización es una destreza, una herramienta, y no un cuerpo discreto de conocimientos. Al estudiar la alimentación, los niños han tenido que ver las interconexiones de muchas redes y desarrollar sus destrezas de establecer conexiones. Puede empezar preguntando: *¿qué ocurrió cuando...?* (cuando apareció la encefalopatía espongiforme bovina o la fiebre aftosa, por ejemplo; o cuando se construyó al lado el nuevo supermercado). Plantee cuestiones más problemáticas y provocadoras de reflexión, comenzando quizá por: *¿qué ocurriría si...?*

El conjunto de preguntas posibles es infinito; por eso, céntrese primero en cuestiones de relevancia local. Por ejemplo, si vive en una comunidad de pescadores o cerca de una de ellas, pregunte ¿qué ocurriría si se agotaran por completo los caladeros? En una escuela urbana, pregunte qué ocurriría si la gente no aprendiera a cocinar, si hubiera una crisis de petróleo y no pudieran moverse los camiones y los trenes, si se descubriera que los alimentos de GM (genéticamente modificados) provocan cáncer, si el precio del azúcar se triplicara de repente o (si ¡sólo!) se prohibieran todos los anuncios de alimentos en la tele. Mejor aún, escuche las preguntas que hagan los alumnos y sígales en sus debates en clase.

Ése es el aspecto de la alfabetización, pero, ¿qué podemos decir del aspecto del "eco"? Lo que seleccionemos para comer determina muchas cosas: cómo se usa la tierra, cuánto abono se utiliza, dónde se cultivan los alimentos, cuánta agua se precisa para el riego. Siempre hay repercusiones: si un agricultor ugandés o colombiano produce café, no puede cultivar maíz para que coma su familia. Si compra abono, no puede utilizar el dinero en la educación de su familia. Si utiliza el agua para el riego, los arroyos de los que dependen otras personas pueden secarse. Cualquier decisión repercute por toda la red e influye en otros lugares.

Comentar cuestiones incómodas

Lo que comamos influye inevitablemente en alguna planta o persona que está lejos de nosotros, a la que nunca veremos y cuya situación quizá tampoco comprendamos, a menos que aprendamos a establecer conexiones. Se dice que los que comen chocolate nunca han visto cultivar un grano de cacao y que quienes lo cultivan nunca han tomado chocolate. África Occidental produce las mayores cosechas de cacao del mundo, pero los salarios son muy bajos. Si se abonara a los trabajadores los mismos salarios que se pagan aquí, una chocolatina costaría diez veces más. Pregunte a sus alumnos si a este precio se comerían una chocolatina. Si no, ¿están explotando a la mano de obra barata?

Algunas organizaciones que fomentan el comercio justo (*Trade Craft, Café Direct*, etc.) han intentado conseguir que los productores reciban una porción mayor del beneficio. Los alumnos pueden descubrir qué tiendas y supermercados venden sus productos. ¿Compran esos productos o, de lo contrario, explotan a la mano de obra barata? Preguntas incómodas, pero los niños pueden afrontarlas. Cada chocolatina, cada porción de pizza, cada bebida gaseosa es un tirón del ovillo que nos conecta a todos.

CAPÍTULO V

Los ciclos de la naturaleza

Durante el trimestre de primavera, solicite a los alumnos que lleven un huevo de Pascua a la escuela. Los habrá muy variados. Pídales que retiren los envoltorios, pesen el huevo y lo comparen con otros. Clasifique los envoltorios según su tipo, de manera que puedan reciclarse con facilidad (por ej., papel, lámina de aluminio) y lo que no (plástico). Conceda un premio al niño que haya llevado el huevo más ecológico: ¡otro huevo, quizá! Pídales que diseñen un envoltorio mejor para el huevo menos ecológico y escriba a los fabricantes sugiriéndoles que lo cambien.

Estar ecoalfabetizado significa comprender cómo funcionan los ecosistemas de manera que podamos utilizar nuestros conocimientos para crear formas de actuación que resulten viables o sostenibles. Por ejemplo, no es factible producir y tirar frigoríficos que no sean reciclables con facilidad; acabamos con montañas de aparatos que son antiestéticas y peligrosas. Por eso, el precio que paguemos por cualquier cosa —un frigorífico, una chocolatina, una caja de leche, un pantalón vaquero— tiene que reflejar estos costes añadidos. Si no, si sólo pagamos la décima parte de lo que debe costar en realidad por nuestra chocolatina, el sistema no funcionará a largo plazo. Acabaremos con montañas de frigoríficos, con agricultores que no obtienen beneficios o trabajadores de fábricas que no pueden vivir con sus reducidos salarios.

La *triple línea base* significa que, para calcular el precio de algo, hay que tener en cuenta los costes sociales y ambientales, así como el coste económico. Dentro de algunos años, los fabricantes de frigoríficos tendrán que responsabilizarse de reciclarlos tras su vida útil; esto elevará considerablemente el precio, por lo que, probablemente, los conservaremos durante más tiempo. Cuando los alumnos hayan recibido este mensaje, pueden comentar algunas de estas cuestiones (véase el recuadro de la página 56).

Este capítulo analiza los ciclos, pero también se ocupa de la idea de los *desperdicios*. Si fuese un astronauta que mirara la Tierra desde el espacio, no vería desechos en el planeta; lo único que llega es la luz del sol y lo único que sale es calor. No tiramos desperdicios al espacio. Nuestro planeta ha evolucionado durante billones de años de tal manera que lo que son desechos para una especie es alimento para otra. El planeta recicla automáticamente los mismos átomos y moléculas que forman sus minerales, su agua y su aire. No hay restos.

> • ¿Quién debe pagar por la limpieza de los ríos, el agua del mar y las playas? (Tendemos a tratar el aire, el agua y el suelo como si fuesen gratuitos, pero mantenerlos aptos para su uso tiene un coste.)
> • ¿Los supermercados deben abonar el precio de reciclar los envoltorios de sus productos?
> • ¿El precio de la ropa debe incluir el coste de establecer unos salarios y unas condiciones de trabajo decentes para quienes la fabrican en el mundo en vías de desarrollo? (¿Dónde compras la ropa? ¿Dónde la hacen? ¿Quién obtiene los beneficios?)
> • ¿Debemos prescindir de nuestros coches, que utilizan combustibles derivados del petróleo, y reemplazarlos por coches eléctricos (Fiat ya está proyectando hacerlo), o debemos asumir unos impuestos más altos por el combustible para pagar el coste medioambiental del uso de los coches?

El gran problema es que los procesos de la naturaleza son ciclos, pero los humanos tendemos a pensar en sistemas que tienen un principio y un fin: hacer, comprar, usar, tirar. De este modo, no vemos las consecuencias del tratamiento de la basura que producimos. Aunque estemos dispuestos a reciclar, a menudo, nuestro pensamiento se detiene en clasificar nuestra basura, depositándola en el cubo verde o en el cubo negro. Si no vamos más allá, comprando productos reciclados, no reciclamos nada en realidad. Del mismo modo, a menudo, la industria sigue viendo los procesos de producción como algo que tiene un principio (materias primas) y un fin (un producto comercializable, más desperdicios). El producto se empaqueta, nosotros lo compramos y creamos más desechos. Los contenidos de nuestro cubo de basura van a un vertedero y es raro que nos percatemos de las consecuencias.

> He aquí una pequeña estimación de matemáticas para que sus hijos reflexionen sobre ella. Está basada en datos reales.
> Un vertedero tenía 40,5 hectáreas y tardó 30 años en llenarse. En 2001, se abrió al lado de éste un nuevo vertedero de 40,5 hectáreas: estará lleno en 10 años, hacia 2011.
> Si se mantiene esta tasa, ¿cuánto tiempo tardará en llenarse el siguiente de 40,5 hectáreas?
> En 2021, ¿cuánto tiempo tardará en llenarse de basura el área de un campo de fútbol (un campo de fútbol mide menos de media hectárea)?

© Ediciones Morata, S. L.

El ciclo del agua

Es probable que el único ciclo que conozcan los alumnos sea el ciclo del agua, por haberlo reproducido en la escuela. El diagrama habitual muestra que el agua se evapora de los mares, los ríos y los lagos, se enfría hasta convertirse en nubes, cae en forma de lluvia sobre la tierra y vuelve a los ríos. Aprenden la idea de que el agua que hay en nuestro planeta es finita y reciclada de forma natural.

Sin embargo, por regla general, esta sencilla imagen omite factores importantes, como el calentamiento global, el importante papel de los bosques, el suelo, la erosión y la elevación de los niveles del mar. El ciclo no es

---

Los alumnos pueden comentar estas cuestiones en *juegos de rol*. Pídales que adopten los roles del científico, el constructor, el turista, el hotelero, el gondolero y dígales que lean el artículo que aparece a continuación, sobre la elevación de los niveles del mar en Venecia. Su cometido consiste en sugerir soluciones alternativas y decidir quién paga el precio.

ROMA, enero de 2003. Italia protegerá Venecia del ascenso de los niveles del mar, pero un nuevo estudio dice que hay que decidir pronto si se construye en otras zonas amenazadas o dejar que se inunden de forma permanente unos 4.500 kilómetros cuadrados de tierra.

Un estudio del grupo ENEA, patrocinado por el Estado, manifiesta que la mayor parte de las zonas de riesgo son las soleadas playas del sur y la zona nororiental que rodea Venecia, que podría quedar sumergida a finales del siglo, cuando el mar se eleve y la costa se hunda.

"Por desgracia, los fenómenos debidos a la acción del hombre han acelerado la erosión natural hasta el punto de tener que tomar ahora graves decisiones para defender nuestra costa", dijo esta semana a los periodistas el Ministro de Medio Ambiente, Altero Matteoli.

"Es un problema económico así como medioambiental. Si perdemos playas, perdemos recursos turísticos y, si perdemos tierra, perdemos potencial agrícola".

El informe ENEA expone que el cambio climático —que muchos científicos estiman que está causado por el calentamiento global—, la rápida erosión costera y una estructura geológica frágil, que implica que algunas zonas se estén hundiendo, pueden combinarse para anegar unos 4.500 km^2 de tierra italiana.

La construcción de una serie de diques móviles para resguardar la laguna de Venecia —amenazada desde hace mucho tiempo por el ascenso de las aguas— debe comenzar el mes próximo, pero el proyecto, llamado "Moisés", es demasiado caro para copiarlo en otras zonas de riesgo.

Paolo Ciani, director de política medioambiental de la región nororiental de Friuli, dice: "Moisés es muy bueno para Venecia, pero las personas de otras zonas tienen que aceptar que no podemos construir ese tipo de estructura por todas partes".

"Parece probable que algunas zonas desaparezcan sin más".
Agencia de noticias Reuter

un proceso homogéneo y regular, como el giro de una noria, sino que avanza a ramalazos repentinos e imprevisibles. Las inundaciones y las sequías van siendo más frecuentes y graves; los casquetes polares y los glaciares se están fundiendo; los niveles del mar van ascendiendo lentamente; las corrientes oceánicas están cambiando; los huracanes son más frecuentes. Los científicos debaten sobre las causas, pero los hechos no pueden discutirse. Los humanos están trastornando este ciclo más que nunca e, igual que con el ovillo, un tirón en un lugar puede influir en otra parte.

La tala de la pluviselva de Sudamérica puede afectar el clima y la lluvia durante mucho tiempo. La fusión de los casquetes polares causará inundaciones en países poco elevados sobre el nivel del mar, como las islas del Pacífico y Bangladesh. El coste de ello en términos de pérdida de tierras y de medios de vida será enorme. ¿Cómo lo pagaremos? No es sostenible continuar incrementando la temperatura global, como lo estamos haciendo ahora, y acelerar el ciclo del agua.

El ciclo del carbono

En su forma pura, el carbono se encuentra en los diamantes, pero no es habitual que lo hallemos así. El carbono es un elemento esencial para todos los seres vivos. Es el elemento clave de nuestro cuerpo, de las plantas, del aire (como dióxido de carbono), de los alimentos y de los combustibles, como el carbón, el petróleo, la gasolina y el gas. El carbono se recicla en todos los procesos de la vida, de forma parecida al ciclo de los alimentos descrito en el Capítulo IV. El diagrama de la página siguiente evidencia cómo se desarrolla.

Pida a los alumnos que describan esta figura con palabras. No es fácil, porque no tiene principio ni fin, así que indíqueles distintos lugares por donde iniciar. El diagrama está numerado para ayudarles. Por ejemplo, si empiezan por el dióxido de carbono del aire:

1) Las plantas verdes toman el dióxido de carbono del aire (fotosíntesis).
2) Los animales comen las plantas verdes (digestión).
3) Los animales espiran dióxido de carbono (respiración).
4) Los árboles se queman y producen dióxido de carbono (combustión).

Podríamos llamar a éste el ciclo menor del carbono. Hay también otro ciclo mayor, como éste:

5) Los animales expulsan también orina y heces (excreción).
6) Los animales y las plantas verdes mueren.
7) Ciertos microorganismos del suelo descomponen todos estos productos y producen dióxido de carbono (descomposición).
8) Algunos se fosilizan lentamente y producen carbón, petróleo y gas (fosilización).
9) Los combustibles fósiles se queman y producen dióxido de carbono (combustión).

Para comprobar si lo han entendido, puede pedirles que empiecen por los combustibles fósiles o por los animales y también puede hacerles preguntas de este tipo: ¿dónde empieza y dónde acaba?, para verificar si han comprendido la idea de que un ciclo no tiene principio. Por tanto, en el ciclo del carbono no hay desperdicios; se reutiliza continuamente. Por supuesto, el proceso podría tener un fin, si la vida se destruyese por completo en el planeta y, como el ciclo del agua, no se desarrolla siempre sin sobresaltos; en la actualidad, lo estamos desestabilizando mediante el uso excesivo de combustibles fósiles, en especial la gasolina. Puede hacer preguntas del tipo "¿qué pasa si...?", como: "¿qué pasa si producimos cada vez más dióxido de carbono, pero tenemos cada vez menos árboles (plantas verdes) que lo utilicen?"; "¿qué pasa si los viajes en avión son cada vez más baratos?" (un avión de pasajeros a reacción utiliza miles de veces más combustible que un autobús o un tren para recorrer la misma distancia).

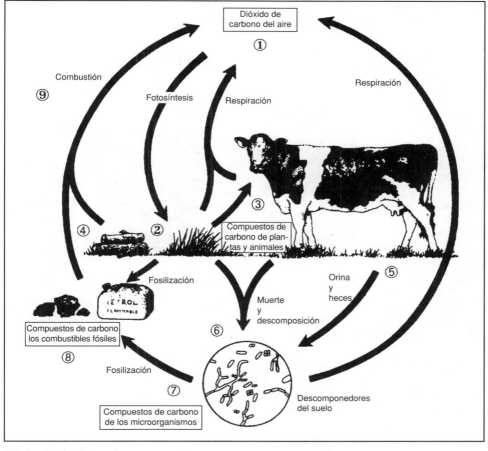

(*Tomado de* GATES.)

Tomar conciencia de los desperdicios

En todas las casas se producen desperdicios. Los niños pueden clasificar todos los que quedan en los cubos durante una semana (manteniendo aparte los restos de alimentos, por supuesto, manipulándolos con cuidado y lavándose las manos al acabar). Pueden calcular las cantidades de papel, plástico, metal, comida, etc. que hay en ellos. Se asombrarán al ver cuántas cosas tiran y esto despertará su interés.

Los cubos de la basura

Pregunte a los niños cómo han cambiado los desperdicios que producimos, comparando los contenidos de estos dos cubos de basura.

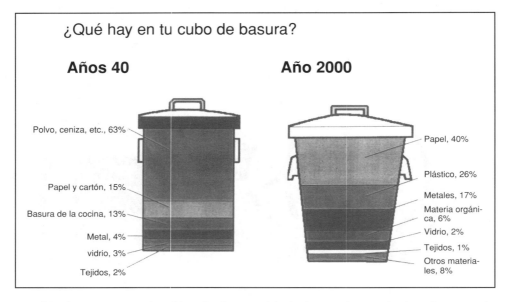

Obsérvese la reducción de la cantidad de cenizas (de los fuegos de carbón) y el enorme incremento del plástico (en su mayor parte, envases). Hágales preguntas de este tipo:

- ¿Por qué había tanta ceniza?
- ¿Por qué se utilizaban menos envases?
- ¿Cuál es la razón de que haya ahora tantos envases?
- ¿Qué tiramos que podríamos reciclar?

Existe el riesgo de que los niños crean que el reciclado es sólo una forma de tratar los desperdicios. A menudo, los niños tienen una idea confusa de lo que significa reciclar; para muchos, consiste sólo en tirar cosas en el cubo verde. Sin embargo, son tres las "R", no una: *reciclar, reutilizar* y *reducir.* Con frecuencia, los niños confunden las dos primeras, pero son muy diferentes.

Ideas para reutilizar

No hace mucho tiempo, las botellas de leche y las de cerveza se recogían, lavaban y reutilizaban, y esto sigue haciéndose en muchos países europeos. En África, casi todo lo que puede reutilizarse se dedica a una nueva finalidad: los neumáticos de los coches se reutilizan para camas y para hacer suelas de zapatos; las latas se transforman en juguetes y adornos. Las botellas de plástico pueden reutilizarse como botellas de agua para la escuela: Bristol Water está haciéndolas con esta finalidad específica. Y con botellas de plástico vacías puede hacerse toda una serie de equipos de ciencias: embudos, vasos de precipitados, vasos de medida, campanas, mini-invernaderos, macetas autorregantes, gusanarios, máquinas para ahumado. Uno o dos de éstos se explican en los diagramas que aparecen a continuación.

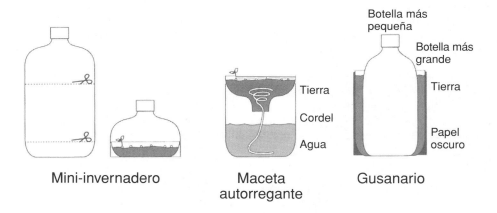

Mini-invernadero   Maceta autorregante   Gusanario

Pida a los alumnos que sugieran otras formas creativas de reutilizar materiales que, en caso contrario, se tirarían a la basura: cajas de cartón, contenedores de plástico, bolsas de plástico, latas, botellas. Por ejemplo, el papel usado sólo por una cara en la oficina de la escuela puede graparse para hacer cuadernillos de anotaciones.

La tercera R: Reducir

Los alumnos tienen que comprender la conexión entre los ciclos y los desperdicios; el ciclo del carbono, el ciclo del agua, la insostenibilidad de lo que estamos haciendo en nuestro planeta y las 3 R. Un objetivo consiste en reducir lo que va a los vertederos produciendo menos basura. Hay muchas formas de hacerlo, pero, por desgracia, no lo practicamos. Para conseguir que los alumnos reflexionen sobre esto, pídales que planteen una tormenta de ideas acerca de cosas que ellos mismos podrían hacer, pero antes expóngales la historia del impuesto irlandés sobre las bolsas de plástico. Cuando el gobierno irlandés implantó un impuesto de nueve peniques (trece céntimos de euro) sobre las bolsas de plástico de los supermercados, el número de bolsas utilizadas bajó rápidamente alrededor de un 90%. De ese modo, llegaba menos plástico a los vertederos. ¿Podríamos utilizar también nosotros menos bolsas de plástico? ¿Cómo? ¿Estaría la clave en un impuesto similar? ¿Cómo podrían averiguarlo?

Cuando los alumnos tengan una lista de maneras de reducir la cantidad de cosas que se tiran, pídales que la ordenen de lo más fácil a lo más difícil de hacer y que expliquen por qué. ¿Pueden seleccionar una cosa de la lista y que pidan que la hagan sus padres para reducir la basura? Este estudio puede extenderse a una asamblea o a una charla que den los alumnos de su clase a otros niños más pequeños. El conserje y los limpiadores de la escuela pueden comentar a niños y niñas de los desperdicios que encuentran. Después, los alumnos pueden llevar a cabo un estudio de control de la basura que se produce en la escuela.

Estudio de control de la basura

Divida a su clase en cuatro grupos, de manera que cada uno pueda ocuparse de un aspecto de los desperdicios: agua, papel, energía y transporte. A continuación, se indican las cosas que hay que descubrir; los alumnos pueden sugerir otras.

Agua

Si la escuela tiene un contador de agua, léanlo cada semana. Anoten con qué frecuencia se descargan las cisternas, cuánto tiempo están abiertos los grifos, cuánta agua utilizan los limpiadores y los jardineros y el agua usada en la cocina de la escuela. El objetivo consiste en encontrar formas de reducir el consumo, y, ¿podría recogerse y utilizarse el agua de lluvia?

Papel

En la oficina de la escuela sabrán el papel que se compra al año. Los niños pueden supervisar qué papel se tira en una semana, cuánto del que se elimina sólo está utilizado por una cara y cuánto se reutiliza. Pueden calcular el papel utilizado en su clase en una semana y cómo podría reducirse esa cantidad. En particular, podrían supervisar cuánto papel se utiliza en las impresoras y si es necesario. El papel también puede reciclarse para hacer papel nuevo, blocs de notas, etc.

(Continúa)

Energía

La electricidad se utiliza en las luces, los ordenadores, la calefacción, y para copiar, cocinar, limpiar y cuidar el jardín. Las facturas de la escuela muestran cuánta electricidad se consume. En la etiqueta de cada aparato aparece su potencia en vatios, por lo que los niños pueden calcular cuánto cuesta su funcionamiento multiplicando esta potencia, en kW, por el tiempo de funcionamiento en horas y por el coste del kWh (kW por hora). Los alumnos pueden observar las luces, las copiadoras y los ordenadores para ver cuándo se dejan encendidos sin necesidad.

Transportes

Los alumnos pueden hacer una encuesta sobre la forma de trasladarse hasta la escuela y la distancia recorrida: en coche, en transporte público, en bicicleta o a pie. Pueden calcular los "kilómetros-vehículo" recorridos cada semana hasta la escuela y su coste (el consumo medio de un coche de 180 cv es de 7,9 litros de gasolina cada 100 km) y sugerir formas más baratas que sean igualmente seguras.

Pueden calificar su escuela en cada categoría, hacer una relación de formas de mejorar y fijar objetivos para su clase.

Utilizar la ayuda exterior: El Programa de Acción sobre los Desperdicios de Somerset (Somerset Waste Action Program: SWAP)

Un ejemplo excelente de abordar la educación sobre los desperdicios de una administración local es el equipo SWAP, del Centro Medioambiental de Carymoor (un centro ecológico), al sur de Somerset. Carymoor se levanta en el lugar restaurado que ocupó un vertedero, situado al lado de otro en funcionamiento, y las escuelas pueden visitarlo para ver cómo funcionan el vertedero y el reciclado. Los seis miembros del equipo SWAP, en su mayoría antiguos maestros, van también a todas las escuelas del condado para trabajar con los niños y los maestros, con el fin de ayudarles a aprender más cosas sobre las 3 R, la gestión de los desperdicios, los abonos, etc.

Se invita a las escuelas a que "juramenten" y se comprometan a hacer un estudio de control de los desperdicios, establezcan un plan de reciclado, utilicen como abono los residuos orgánicos, compren papel reciclado, visiten Carymoor u otras diversas opciones. Se han establecido asociaciones entre Carymoor y unas 180 escuelas, y el número va en aumento.

Hay tres razones principales por las que este plan resulta tan eficaz. *En primer lugar*, causa un *impacto* inolvidable. Seguir a un enorme camión de basuras hasta el vertedero, ver cómo vuelca *tu* basura en un basurero enorme y hediondo es inolvidable: *nosotros* hemos creado esto. *En segundo*

*El equipo del Programa de Acción sobre los Desperdicios de Somerset (*Somerset
Waste Action Programme: SWAP*), en el Centro Medioambiental de Carymoor
(Somerset)*

lugar, muestra a los niños el ciclo completo, de usar a tirar y reciclar: el vertedero cubierto produce metano, que se quema para generar electricidad; los
desperdicios vegetales se convierten en abono orgánico comercial; el plástico, el metal y el vidrio se separan y se envían a reciclar. *En tercer lugar*, el programa SWAP está dirigido tanto a los niños pequeños como a los mayores,
con el fin de ayudarles a adquirir cuanto antes unas actitudes correctas y buenas costumbres.

Para descubrir otros aspectos de Carymoor y el programa SWAP, consulte su página web en www.carymoor.org.uk.

Waste Watch desarrolla planes similares en todo el país, como el Programa de Apoyo a la Educación sobre los Desperdicios (*Waste Education Sup-
port Programme:* WESP) y es fácil que exista un plan en su zona. Su página
web es: www.wastewatch.org.uk.

Construir el Ciclo de Desperdicios de Carbono

Escriba cada uno de los conceptos relevantes que se relacionan a continuación en una tarjeta, para que los alumnos las dispongan en el orden del ciclo del carbono. También puede sentar en círculo a los niños para que representen el ciclo y hacer que se pasen unos a otros pelotas de tenis que representen átomos de carbono que sigan el ciclo; cada niño explica lo que ocurre cuando recibe una pelota. Si las pelotas no se pasan (por ej., si hay demasiadas en el vertedero), un niño acabará teniendo más pelotas de las que puede sostener. La crisis resultante refleja la crisis real del vertedero en la actualidad. La actividad estimula el diálogo sobre el modo de reducir los puntos de presión en el ciclo.

ALIMENTOS	ABONO	PLANTAS VERDES
CO_2	DIGESTIÓN	DESCOMPOSICIÓN
COMBUSTIÓN	ANIMALES	FÓSILES

Las otras tres R

Enseñar a los niños y niñas el lema "reducir, reutilizar, reciclar" puede acabar influyendo en las prácticas de sus padres. Para el maestro, hay otras tres R más: *reflexionar, revisar, reeducar*.

Enseñar de la forma que hemos sugerido significa alejarse de los horarios rígidos de asignaturas y clases. Esto puede suponer repensar su forma de planificar la enseñanza, permitiéndose más flexibilidad. Las publicaciones recientes del DfES apoyan un horario flexible en las escuelas primarias. Durante una inspección reciente de la Ofsted, por ejemplo, el inspector vino de excursión con una clase para realizar tareas de ecología y redactó un informe muy elogioso sobre el trabajo de alfabetización en el que participaron los niños.

La reflexión sobre la forma de organizar el tiempo puede llevar a revisar el currículum en acción en clase. La ecoalfabetización afecta las ciencias naturales, la educación para la ciudadanía, la historia, la geografía, así como la utilización de la lectoescritura y la aritmética como herramientas funcionales para aprender y comunicarse. Como decía CAPRA en *The Web of Life*:

> Tenemos que revitalizar nuestras comunidades, incluyendo las educativas, de manera que los principios de la ecología se pongan de manifiesto en ellas, como principios de educación y de administración...
>
> (CAPRA, 1996, pág. 289.)

Ésta es una forma de revitalizar el currículum. Podemos pensar en el currículum como tres partes entrelazadas: la base (lectoescritura y aritmética), la ecoalfabetización y la creatividad (arte, música, danza, dramatización, poesía), y deben estar entrelazadas. Todas las materias dan pie a la creatividad (véase, por ejemplo, ASE, 2004) y todo el aprendizaje depende de la lectoescritura. También tenemos que aceptar ahora que todas las "materias", todo el aprendizaje depende asimismo de la alfabetización ecológica. El arte, la música y la danza han sido fundamentales para la expresión de mensajes ecológicos y en China, India y otras culturas orientales no se establece una distinción clara entre los aspectos naturales, científicos y creativos de la vida. En su libro: *The Dancing Wu Li Masters* (1979), Gary ZUKAV explica que el término chino "Wu Li" puede significar muchas cosas, incluyendo "patrones de energía orgánica" (es decir, física), "ilustración" o "mi manera", dependiendo de cómo se diga. En Inglaterra, estamos entre los pocos pueblos que siguen dividiendo lo que tenemos que aprender en disciplinas artificiales.

Un día en la vida... la ecoalfabetización como andamiaje

Seguir la pista de un objeto —un sello, una gota de agua— mientras se desplaza de un sitio a otro ha sido siempre una actividad característica de la escuela primaria. Trate de seguir un día o, mejor, un año de la vida de un átomo de carbono y considere qué conocimientos y destrezas implica. Pronto se percatará de que está emprendiendo muy distintos tipos de aprendizaje que

no se encuadran con facilidad en ninguna asignatura conocida. Sin embargo, usted está aprendiendo. Del mismo modo, podría tratar de seguir el uso que hace de Internet (o el que hacen sus niños) durante una semana e intentar dividirlo en materias.

Y es interesante señalar que muchas de estas actividades son cíclicas: Vd. vuelve al mismo punto, cuestión o problema, con más información en cada ocasión. Así es como aprendemos: construyendo unas estructuras intelectuales mayores sobre las que ya teníamos, como si ampliáramos un andamio. Los andamiajes o estructuras de apoyo no se dividen con facilidad. La ecoalfabetización es un tipo similar de andamiaje: puede utilizarlo para acceder a distintas partes de la estructura del conocimiento sobre nuestro mundo.

El concepto clave sobre el que volveremos una y otra vez es el de "interconexión". Un andamio está totalmente interconectado: si se quita un elemento, algo se caerá por otro sitio. Lo que hacemos tiene consecuencias para los demás. Por ejemplo, si no apartamos nuestro vidrio según el color que le corresponde para reciclarlo, irá a parar al vertedero, en vez de que lo reciclen para hacer nuevas botellas verdes (o transparentes). Si compramos todos los alimentos en el supermercado, podemos llevar a los tenderos locales al cierre de sus comercios, y, como dijo Anita RODDICK, fundadora de The Body Shop:

Quien crea que es demasiado pequeño e insignificante para influir, nunca ha dormido con un mosquito en su habitación.

CAPÍTULO VI

La energía

La energía no es fácil de entender. En cierto sentido, no existe; en otro sentido, todo es, en último término, una fuente de energía. Una analogía nos ayudará a comprender esto con mayor facilidad.

La energía es como el dinero

El dinero hace que ocurran cosas: sólo tiene utilidad cuando se gasta. Adopta muchas formas: libras, euros, dólares, cheques, en metálico, en una cuenta bancaria, en una tarjeta. Puedes convertir el dinero en otras cosas, como comida, CDS, maquillaje, casas. Puedes calcular cuánto dinero necesitas para comprar un monopatín, una pizza o una nueva blusa. Pero, en sí, el dinero es una idea abstracta. El dinero nunca se consume, sino que pasa de un sitio a otro: de ti a la tienda, a su banco, a pagar el salario de alguien...

La energía también hace que ocurran cosas. Adopta muchas formas: luz solar, alimentos, gasolina, electricidad, viento, agua. Sin embargo, mientras se almacena, no hace nada; sólo es útil cuando la cambias de una forma a otra. La energía del sol se convierte en calor cuando llega a nosotros. Transforma el dióxido de carbono y el agua en alimento para las plantas, en las plantas verdes. El alimento se transforma en movimiento cuando montamos en bicicleta. La electricidad se transforma en sonido en un teléfono móvil. Podemos medir el potencial de la energía para realizar un trabajo: cuánta energía hace falta para llevar a ebullición una tetera llena de agua o cuánta energía de los alimentos debes comer para mantener tu cuerpo trabajando durante la jornada. Como el dinero, la energía nunca se consume, sino que atraviesa ciclos: del sol a las plantas, a los alimentos, a ti, a tu bicicleta y después, acaba en calor y sonido.

Formas de energía: ¿Son unas mejores que otras?

Las fuentes de energía pueden dividirse en: renovables, que pueden reponerse constantemente, como el sol, el viento, el agua y la biomasa (plantas que crecen para ser combustibles, como la caña de azúcar, el mimbre); y las que no lo son, en su mayor parte, los combustibles fósiles (carbón, petróleo, gas) y los combustibles nucleares. La electricidad, la forma de energía que más utilizamos, puede producirse a partir de cualquiera de estas fuentes renovables o no, y ésta es una de las grandes cuestiones que se discuten en el presente: ¿cuál debemos utilizar?

Es evidente que las fuentes renovables de energía son las mejores en la mayoría de los casos. El viento y el mar nunca podrán agotarse como el carbón y el petróleo. No contaminan la atmósfera con más dióxido de carbono (llamado a veces *gas de invernadero*, porque es la causa principal del calentamiento global) como hacen los combustibles fósiles al quemarse. Sin embargo, para algunas personas, pueden tener inconvenientes. Por ejemplo, el uso del viento o del agua del mar puede ser más caro y la gente se opone al ruido y al feo aspecto de los parques eólicos. Además, tendríamos que cubrir la mitad del mar de Irlanda con turbinas eólicas para producir tanta electricidad como una planta nuclear. Los conservacionistas se oponen a las centrales de energía mareomotriz a causa de su efecto sobre la vida salvaje, que depende de las marismas en marea baja. La instalación de los paneles solares (fotovoltaicos) es cara y sólo funcionan donde y cuando hace sol.

Reducir el uso de energía

El otro argumento sobre la energía gira en torno a la cantidad que utilizamos y cuánta es innecesaria. Los coches grandes de tipo "vehículo deportivo utilitario" todo-terreno consumen mucho más combustible que los normales y la mayoría de la gente sólo los utiliza en carretera. Hacemos viajes innecesarios y el tamaño medio de los coches está aumentando, en vez de disminuir. Podríamos andar o ir en bicicleta con mayor frecuencia, utilizar menos los automóviles, sobre todo para ir a la escuela. Todas las noches dejamos en espera millones de aparatos eléctricos, como televisores, vídeos, ordenadores, fotocopiadoras. Y podríamos reducir la calefacción del hogar mejorando el aislamiento. Los alumnos pueden hacer un estudio de control de la energía en casa, como el de los desperdicios de la escuela. Según el *International Centre for Conservation Education*, en el Reino Unido, la familia media produce unos 20.000 kg (20 toneladas) de dióxido de carbono al año. Debe ser posible reducir esta enorme cantidad. Los alumnos pueden comprobar indicios como éstos:

- ¿Con qué frecuencia se dejan innecesariamente en funcionamiento estufas, luces y equipos eléctricos?

- ¿Ponemos en la tetera más agua de la que necesitamos hervir?
- ¿Todos los viajes en coche son necesarios? ¿Podríamos ir andando?
- ¿El importe de las facturas de la electricidad y del gas baja o sube?
- ¿Podemos "comprar" electricidad generada con la fuerza del viento?

Los argumentos no tratan sólo de lo que sea mejor, sino que también hay intereses creados. Aquí es donde entran en juego las interconexiones de las redes. Los fabricantes de ordenadores y de *software* quieren que tengamos más máquinas en todo momento. Los supermercados quieren ofrecernos más opciones a precios más bajos, con el fin de vender más que sus rivales. Los objetos desechables (por ejemplo, las cámaras de un solo uso) están de moda. El hormigón cuesta mucho más que la madera en términos de la energía utilizada para fabricarlos, pero construimos pocas casas de madera. Hay muchos ejemplos de energía utilizada sin necesidad, pero la gente no deja de hacerlo.

El coche

De los intereses creados que existen, los mayores son los de la industria del automóvil, que depende de la gasolina que se queme, y los de la industria del petróleo, que produce gasolina. Los coches hacen más kilómetros por litro que los modelos más antiguos, pero no muchos más y se está llegando al límite. He aquí algunas estadísticas recientes de Worldwatch (www.world watch.org):

> En 2000, los estadounidenses condujeron 128 millones de coches, recorriendo 2,3 billones de millas. Consumieron 8,2 millones de barriles de combustible diarios y emitieron 302 millones de toneladas de carbono (como dióxido de carbono). Fuera de los Estados Unidos, la gente utiliza el coche menos que los estadounidenses. El coche promedio de los Estados Unidos recorre un 10% más anualmente que un coche en el Reino Unido, alrededor del 50% más que uno en Alemania y casi el 200% más que un coche en Japón. La flota global de automóviles de turismo alcanzó los 531 millones en 2002. Los Estados Unidos albergan la cuarta parte de todos los coches del mundo.
> www.worldwatch.org/brain/media/pdf/pubs/vs/2003_cars.pdf, págs. 56-57.

Se calcula que California produce sola el 2% de todas las emisiones de dióxido de carbono del mundo, debido en gran parte a sus coches. Con independencia de que estas estadísticas y cálculos sean estrictamente precisos, es obvio que los países ricos (Estados Unidos, Canadá, Europa, Japón) producen la mayor parte de la contaminación por dióxido de carbono del mundo, mientras que los países más pobres (Brasil, África central) proporcionan la mayor parte de las selvas tropicales que consumen el dióxido de carbono. Sin embargo, cuando las temperaturas suben en todo el mundo, los árboles absorben menos dióxido de carbono, lo que hace que la situación empeore.

Se ha demostrado que el humo de los coches causa asma y, en las zonas urbanas, quienes más la sufren son los niños deportistas, que están en mejor forma, porque respiran más profundamente cuando hacen ejercicio. Por eso, cuantos más coches, más asma, lo que, a su vez, significa más medicinas, más médicos y enfermeros en los hospitales y más días de ausencia de la escuela: en la actualidad, el asma es la causa más corriente de hospitalización de niños y niñas en el Reino Unido.

¿Cómo podemos afrontar nuestra dependencia mundial de los coches y el petróleo? Así como el hecho de ver cómo cae la basura en el vertedero produce en los alumnos un impacto que no olvidarán, las consecuencias del uso de los coches han de comunicarse de tal modo que causen impacto. Pensemos en esto:

---

1 litro de petróleo o gasolina, cuando se quema (en un coche, por ejemplo), produce 2,5 kg de dióxido de carbono. En un coche familiar, un viaje de 500 km consume unos 40 litros de gasolina, produciendo 100 kg de dióxido de carbono: ¡más que el peso del conductor en gases de invernadero!

La "bolsa de gas de invernadero"

Pida a los alumnos que averigüen cuánto dióxido de carbono producen sus viajes en coche a la escuela durante una semana o un trimestre (un coche familiar produce, aproximadamente, 1 kg de dióxido de carbono cada 8 km). Así, aunque el trayecto a la escuela sea sólo de 800 m, el viaje de ida y vuelta producirá semanalmente 1 kg de dióxido de carbono.

Coja una bolsa de 1 kg de azúcar y póngale una etiqueta que diga: "1 kg de DIÓXIDO DE CARBONO". Al final de cada semana, haga que la coja cada niño que vaya a la escuela en coche, para recordarle cuánto dióxido de carbono han producido sus viajes a la escuela.

Empiece con ellos de pequeños para establecer buenas costumbres

En la época medieval, antes de que se utilizara la escritura para dejar constancia de los hechos históricos, a veces se escogía a un niño para que observara minuciosamente los procedimientos importantes; después, se le arrojaba a un río. De este modo, se decía, el recuerdo del acontecimiento quedaría impreso en él y permanecería durante toda su vida.

(McGaugh, 2003.)

Aunque no tenga base científica, esta historia pone de manifiesto que la gente cree que las experiencias de la primera infancia tienen un impacto que permanece toda la vida. Los jesuitas solían decir: "dadme a un niño hasta los 7 años..." Cierta investigación reciente, realizada en Escandinavia (HELLDEN, 2003), muestra que las personas conservan en la edad adulta las experiencias concretas tenidas a una edad temprana y, con frecuencia, son importantes a la hora de configurar sus ideas. Por tanto, es más probable que los niños pequeños recuerden y sean influidos por aquellas experiencias que tuvieran en ellos un fuerte impacto, así que déjeles que tengan la experiencia de la "bolsa de dióxido de carbono" cuando todavía son pequeños y no se asuste de abordar cuestiones importantes con ellos. Anime a los alumnos a hacer con sus padres un estudio sencillo de control de la energía en el hogar y a que dialoguen con ellos sobre las cosas que hayan realizado en la escuela. Contribuya a inculcar el concepto de que la reducción del uso de la energía no es sólo una buena idea, sino que es crucial para la supervivencia del planeta.

En el sitio web de *Planetark*, hay 20 artículos sobre los todoterrenos (vehículos grandes todo-terreno). Aunque algunos gobiernos se niegan a utilizarlos (por ej., California), en otros lugares se aceptan y fomentan. Pida a los alumnos mayores que busquen información sobre los todoterrenos, revisen algunos artículos y dialoguen después acerca de qué hacer con respecto a ellos. ¿Deben prohibirse los todoterrenos, hay que gravarlos con impuestos más elevados, sólo se debe permitir su uso a los agricultores o qué? ¿Debe permitirse a la gente que conduzca el vehículo que quiera?

El transporte público

El debate sobre el transporte público se ha extendido durante muchos años. Tanto los niños como los adultos conocen los malos servicios de autobuses, sobre todo en zonas rurales; trenes poco fiables; un metro de Londres que se derrumba; el retorno de los tranvías a algunas ciudades, y el coste creciente de todo esto. Es notable que otros países, como Francia, España, Holanda, Alemania y Suecia parecen disponer de unos sistemas ferroviarios y de carreteras modernos y eficientes. Por eso, el debate no versa sólo sobre tecnología y gasto de dinero, sino también sobre los intereses públicos frente a los privados, los urbanos frente a los rurales, los de los ricos frente a los de los pobres, la planificación a largo plazo frente a la planificación a corto plazo. Versa sobre el transporte hasta el trabajo, sobre el amor a nuestros coches, sobre la política. Es peligroso simplificar en exceso los problemas: los niños tienen que discutir estas ideas. Deje claro que la ecoalfabetización supone abordar ideas y desarrollar el entendimiento y no tiene nada que ver con saber las respuestas correctas. He aquí algunos ejemplos:

- En muchos países europeos, incluyendo Escocia, hay más personas que prefieren residir en el centro de la ciudad e ir andando al trabajo que en Inglaterra, donde la gente prefiere vivir a las afueras y desplazarse en coche. ¿Tienen idea los alumnos de por qué es así?
- El público dispone de vuelos cada vez más baratos, en su mayor parte desde los aeropuertos de Londres, que tienen planes de expansión. Mientras tanto, los aeropuertos regionales está infrautilizados. ¿Por qué ocurre esto?
- El cargo por congestión (pagar por la entrada en automóvil particular al centro de Londres) ha reducido la cantidad de tráfico en la ciudad en un 18% e incrementado el uso de los autobuses y del metro. ¿Qué ocurriría si se prohibiese la entrada de coches a Londres (algunas ciudades europeas ya lo hacen en los fines de semana)? ¿El cargo por congestión sería una buena idea para tu pueblo o ciudad?

Formas alternativas de transporte

Actualmente existen algunas formas de viajar que no contaminan. Los trenes de levitación magnética, por ejemplo, ya llegan a algunos aeropuertos; utilizan el sencillo principio de dos imanes que se repelen para hacer que el tren "flote" sobre el raíl.

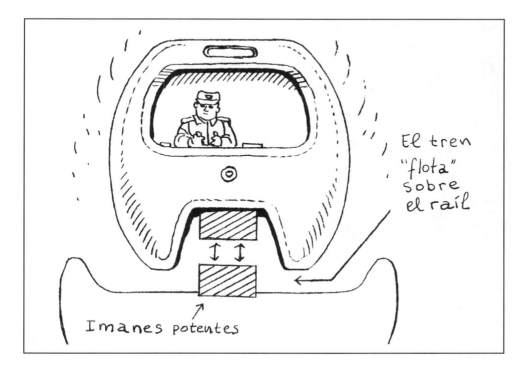

El tren "flota" sobre el raíl

Imanes potentes

Durante miles de años, se ha utilizado el viento (y los remos) para mover los barcos, aunque olvidamos con frecuencia esta forma de energía renovable. Las gabarras tiradas por caballos eran la forma principal de transportar por canales el carbón desde las minas a las fábricas. Todavía navega, al menos, un velero de carga, el *Albatross*, que hace la línea entre Wells (en Norfolk) y Amsterdam, transportando soja. Los alumnos pueden descubrir muchas cosas sobre esto: ¿Cuánto dura un viaje del *Albatross*? ¿Cuánta carga puede transportar? ¿Lleva pasajeros? ¿Por qué se utilizan tan poco los veleros? Empiecen por la página: http://www.norfolkbroads.com/pdf/albatros.pdf.

Energía renovable: Los parques eólicos

Gran Bretaña es el país más ventoso de Europa y tiene miles de kilómetros de costa en los que sopla el viento durante la mayor parte del tiempo. Por eso, Gran Bretaña se encuentra en una situación perfecta para aprovechar la fuerza del viento. Sin embargo, hasta ahora, sólo se ha instalado una capacidad de generación de energía eléctrica de origen eólico de unos 400 megavatios y casi toda tierra adentro. Esto es sólo una fracción de la capacidad total de Alemania de 6.900 megavatios y mucho menos que la de España y Dinamarca. ¿Por qué?

Una razón es que, hasta hace poco, el Ministerio de Defensa se oponía a los parques eólicos a la orilla del mar basándose en que las enormes turbinas

eólicas interferirían el radar de los aviones de caza. El gobierno ha anunciado recientemente sus planes para una enorme expansión de turbinas eólicas a la orilla del mar y pretende generar por este medio, en 2010, el 10% de toda la electricidad, pero esto se contempla con escepticismo. Es probable que la mayor parte de los nuevos parques eólicos se sitúen en la costa del nordeste o en el mar de Irlanda, pero la National Grid, que transporta la electricidad, no está preparada para llevarla desde estas zonas. En consecuencia, harán falta billones de libras para tender nuevas redes en Gran Bretaña para unir aquellos remotos parques eólicos a la red nacional. Los bancos son reacios a invertir en proyectos de riesgo. El ministro de Energía ha dicho que "no tiene sentido generar energía eléctrica a menos que podamos garantizar su traslado a los mercados que la requieran". La red eléctrica de Gran Bretaña se construyó para transportar energía procedente de centrales de carbón, de gas y nucleares y hay que reformarla por completo para unirla con los parques eólicos, muchos de los cuales probablemente se construirán en zonas alejadas, con enlaces insuficientes con la red.

Como todas las cosas, ¡la ecología nunca es tan sencilla como parece! Los alumnos pueden descubrir cosas sobre la electricidad generada por el viento en la página web de *Planetark* (www.planetark.org)*, que tiene más de 120 entradas nuevas sobre la energía eólica.

Energía hidroeléctrica

Las ruedas hidráulicas han estado funcionando durante miles de años y lo realizan de distintas maneras. He aquí algunos ejemplos:

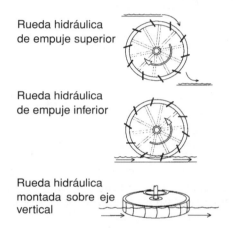

Rueda hidráulica
de empuje superior

Rueda hidráulica
de empuje inferior

Rueda hidráulica
montada sobre eje
vertical

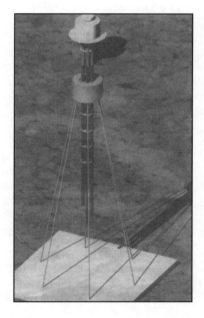

Arriba a la izquierda: dibujos de ruedas hidráulicas de empuje superior, de empuje inferior y con el eje montado en vertical.

Arriba a la derecha, abajo a la izquierda y a la derecha: generador de ondas, diagrama de hidroturbina y diagrama de barrera de central mareomotriz (tomado de Renewable Energy *y* WMN 12.3.03)

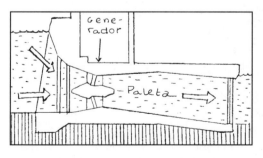

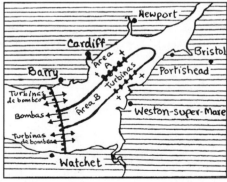

---

* Pueden obtener mayor información sobre la energía eólica a través de la visita guiada en español de la *Danish Wind Industry Association* en http://www.windpower.org/es/tour. *(N. del R.)*

Las ruedas hidráulicas inspiraron las primeras centrales hidroeléctricas, pero hay diversos sistemas para utilizar el agua para generar electricidad, incluyendo el aprovechamiento de las mareas y las olas.

En todo caso, el agua fluye a través de una turbina o empuja el aire para que pase por ésta, como en un molino de viento. El funcionamiento de los inhaladores Spinhaler® contra el asma se basa en el mismo principio; el maestro puede aprovechar uno usado para demostrárselo a los alumnos.

Las centrales mareomotrices llevan muchos años generando electricidad en Francia. Hay planes para instalar dentro de unos años unos enormes generadores de energía de olas en la costa de Cornualles. Un generador de este tipo ha estado funcionando en la isla escocesa de Islay durante tres años. Puede encontrar más información sobre estos métodos de producir electricidad en: *Renewable Energy: Power for a Sustainable Future* (BOYLE, 1996).

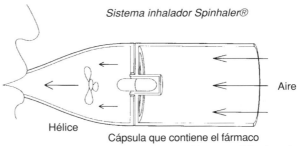

Sistema inhalador Spinhaler®

Aire

Hélice

Cápsula que contiene el fármaco
(que se pincha al introducirla en su alojamiento)

Pueden verse también maquetas funcionales de centrales de energía hidroeléctrica en centros de ciencia interactiva como Explore@Bristol, Magna (Rotherham), Techniquest (Cardiff), el Gaia Energy Centre (Cornualles) y el Centro de Tecnología Alternativa. Para quienes estudian las energías renovables, es interesante visitar todos estos centros.

Los alumnos pueden hacer una sencilla rueda hidráulica con pequeñas tarrinas de yogur, contenedores vacíos de carretes fotográficos u otros pequeños recipientes. Se pegan entre dos círculos de cartón o plástico y se coloca en el centro un eje, de este modo:

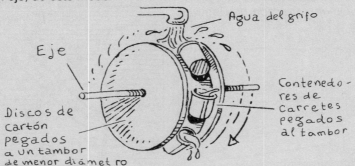

Agua del grifo

Eje

Contenedores de carretes pegados al tambor

Discos de cartón pegados a un tambor de menor diámetro

Puede utilizarse debajo de un grifo, en el centro de una corriente (con el eje horizontal) o en un lateral de la corriente (eje en vertical). En todos los casos, el agua le hará girar.

Energía solar

Toda la energía proviene, en último término, del sol. Sea cual fuere la fuente utilizada, podemos remontarnos hasta él. Nuestros alimentos provienen de plantas verdes que necesitan la luz solar para crecer; las corrientes de aire que llamamos "viento" están causadas por el sol que calienta la tierra; el carbón y el petróleo eran, en su origen, plantas verdes que murieron y quedaron comprimidas durante millones de años. Es probable que los dinosaurios se extinguiesen a causa de nubes de polvo que ocultaron el sol, lo que supuso que quedasen privados de la fuente de energía.

Hay formas sencillas de utilizar la luz y el calor solares. Ponga un poco de agua en una lata negra, déjela al sol y pronto el agua estará caliente. En consecuencia, es posible calentar agua si se la hace pasar por unas tuberías pintadas de negro situadas en el tejado, de este modo:

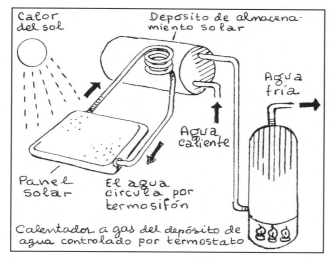

Diagrama de un calentador solar de agua (tomado de Renewable Energy, *pág. 43).*

También puede hacer un asador solar para preparar comida, como éste:

Electricidad procedente de la luz solar

En la actualidad, es muy corriente que las casas y los edificios tengan paneles solares para producir electricidad, como el que se aprecia en la fotografía siguiente.

El centro ecológico de Carymoor, con la turbina eólica, los paneles solares fotovoltaicos y el anexo de aulas construido con paja.

Las células solares utilizan *semiconductores*, como el silicio, el selenio y el germanio. Estas sustancias existen en forma de cristales, como la sal. Cuando la luz solar llega a un cristal de silicio, desplaza un electrón del lugar que ocupa en la estructura, de manera que otro electrón pase a ocupar su lugar. De este modo, los electrones se mueven a través del silicio, produciendo una corriente eléctrica.

Las primeras células solares se crearon hace más de un siglo y se utilizaron para suministrar energía a los teléfonos, pero no eran muy eficientes, pues convertían sólo un 1% de la luz solar en electricidad. Las modernas células fotovoltaicas convierten en torno al 16% de la energía solar en electricidad.

Ahora, la energía solar se utiliza de muchas maneras, para alimentar estaciones espaciales, ordenadores, relojes y calculadoras. ¡Incluso, Honda ha construido un coche que funciona con luz solar!

La energía: Los puntos clave para la ecoalfabetización

¿Cómo se relaciona esto con la ecoalfabetización? ¿Qué sentido tiene producir electricidad a partir del viento o hacer funcionar coches, aviones o frigoríficos con la luz solar? He aquí varias cuestiones importantes:

- El viento, el agua y la luz solar son constantemente renovables y no se consumen.
- Una vez fabricadas e instaladas las turbinas eólicas o las células fotovoltaicas, son completamente limpias. No producen gases ni desperdicios, por lo que no dañan la atmósfera ni los océanos.
- Utilizar el viento, el agua y la luz solar significa que usamos menos combustibles fósiles, que son contaminantes y, al mismo tiempo, finitos.
- El petróleo ha sido la causa de muchos conflictos en el mundo durante los últimos treinta años, por lo que es deseable una menor dependencia del petróleo.
- No tenemos más remedio que buscar alternativas al petróleo, por lo que, cuanto antes las desarrollemos, más se utilizarán y más se abaratarán.
- No obstante, no podemos cambiar de repente, porque se opondrían las grandes empresas petroleras y automovilísticas que son muy poderosas. Necesitan tiempo para modificar sus prácticas, para obtener otros productos.
- China e India pronto estarán tan desarrolladas como Europa y Norteamérica. Estos dos enormes países representan unos dos tercios de la población mundial. Si todas las familias chinas e indias tuvieran un coche, un televisor, un frigorífico, un ordenador, etc., cuyo funcionamiento dependiera de la electricidad procedente de combustibles fósiles, la contaminación atmosférica sería tan grave que el calentamiento global resultante podría destruir la vida. Por eso, deben utilizarse otras formas de energía en el desarrollo de estos países.
- Siempre imaginamos que algunas cosas no cambiarán nunca: los coches nunca utilizarán la luz solar. Sin embargo, la historia de los últimos cien años contradice esto.

Los alumnos pueden acabar su estudio haciendo, en primer lugar, una lista de todos los cambios tecnológicos del siglo pasado que dependen del uso de la energía (hasta la Segunda Guerra Mundial, la mayoría de los hogares no disponía de electricidad) y, después, indicando cuáles creen que serán los grandes cambios tecnológicos del próximo siglo, y cómo podría resolverse el problema de la energía. Pueden presentar sus predicciones en dibujos, en una exposición en clase o en una carpeta o libro.

CAPÍTULO VII

La diversidad

Entregue a cada grupo de alumnos un *hula-hoop* y una hoja de papel blanca. Cada grupo coloca su aro en el suelo, en un sitio diferente (en la hierba; bajo un árbol) y cuenta el número de plantas distintas que encuentre en su interior. A continuación, pone la hoja bajo un árbol, arbusto o seto y lo sacude para ver cuántas criaturas caen en la hoja. Pueden hacer esta actividad en los patios de la escuela, pero mejor aún en un parque, bosque, prado, granja, dunas o cualquier otro entorno natural. Reúna las pruebas recogidas por todos los grupos.

Biodiversidad

El objeto de este ejercicio es estimar la biodiversidad en un medio o hábitat. Por regla general, cuanto más grande sea el hábitat que se haya establecido (un antiguo seto, un gran roble, por ejemplo), mayor será la diversidad de especies. El número de especies vivas conocidas es de unos 1,7 millones, pero muchos expertos creen que el de las desconocidas las supera con mucho y puede estar entre 10 y 100 millones, siendo la mejor estimación actual de unos 30 millones, y esto no tiene en cuenta todas las extinguidas en la actualidad, como los dinosaurios. Colin TUDGE (2000) ha señalado que no habría palabras suficientes para poner nombre a todas ellas ni una biblioteca suficientemente grande para catalogarlas. Hay, por ejemplo, 40.000 bacterias conocidas, pero pueden quedar por descubrir 1.000 veces este número.

Entonces, ¿por qué preocuparse porque perdamos algunas especies? La respuesta puede explicarse en términos del ovillo. ¿Qué ocurre cuando desaparecen algunas cosas de la red? Surgen trastornos en los lugares menos esperados, de los que algunos pueden tener consecuencias catastróficas. Un ejemplo ilustrará esta cuestión.

La pluviselva como ejemplo de biodiversidad

Las pluviselvas tropicales, junto con los arrecifes de coral, son los hábitats con mayor biodiversidad del planeta, y se estima que la mayoría de las plantas y animales que viven allí todavía no se han identificado. Su diversidad se debe a que presentan una gama muy amplia de condiciones de crecimiento, en cuanto a luz, temperatura, humedad y suelo, y a que, hasta hace muy poco, no han sufrido perturbaciones durante miles de años.

Los alumnos habrán visto las pluviselvas en televisión, en excelentes programas dedicados a la vida salvaje, pero no hay nada como experimentar los olores, los sonidos y el tacto de la pluviselva. Los niños pueden tener esta experiencia en lugares como el "Bioma de los trópicos húmedos", en el *Eden Project* de Cornualles; en la *Living Rainforest*, en Berkshire, o en los pabellones de plantas tropicales de los grandes jardines botánicos, como el de Kew y el de Edimburgo. Consulte primero los sitios web, dando quizá un paseo virtual por el jardín. Todos estos lugares son interesantes:

www.rbgkew.org.uk	Kew (Londres, R.U.)
www.rbge.org.uk	Edimburgo (R.U.)
www.edenproject.com	Eden Project (R.U.)
www.bbgardens.org	Birmingham (R.U.)
www.anbg.gov.au/anbg	Australia
www.ville.montreal.qc.ca/jardin	Montreal (Canadá)
www.htbg.com	Hawai (EE.UU.)
www.flbg.org	Florida (EE.UU.)

La preparación para la visita es esencial. Los maestros tienen que saber qué pueden esperar y la mejor manera de facilitar el aprendizaje de sus alumnos y alumnas durante la visita. En un jardín botánico hay tanto que ver que es fácil que los niños no sepan en qué centrar la atención y sufran una sobrecarga perceptiva. Dirija la atención de los niños a las cosas que estime importantes. Los alumnos pueden pasar por alto ciertos signos o malinterpretarlos.

¿Por qué es importante la biodiversidad?

Entender esto significa comprender las redes de interconexión que forman parte de toda la vida. La pluviselva es un ejemplo de reservorio genético que contiene una amplia variedad de especies genéticamente diferentes. Muchas plantas que utilizamos como alimento (por ej., patatas, maíz) se han desarrollado a partir de formas que han existido durante millones de años en otras partes del mundo. Si las destruimos, extinguimos los genes que pueden ser cruciales para nuevos desarrollos de esas plantas.

También trastornamos las redes alimenticias y las redes energéticas que hemos desarrollado en equilibrio durante miles de años. La destrucción de un hábitat supone la eliminación de muchas especies de plantas y animales; quienes dependen de ellas, tendrán que buscar alimento y refugio en otra parte. Si eliminamos los alimentos que consumen los pandas y los papagayos, en poco tiempo estas especies no existirán. Si eliminamos los pandas, su hábitat será ocupado por una cantidad excesiva de bambú. A veces, olvidamos que la vida se ha sostenido en nuestro planeta durante cientos de millones de años sin nuestra interferencia. Sólo en los últimos cinco minutos de existencia de nuestro universo, por así decir, han vivido personas en este planeta. Hay formas naturales de sostener la vida que no podemos ignorar, formas que llevaron a la evolución de la humanidad. Esto merece nuestro respeto.

Las pluviselvas proporcionan a las personas alimentos (café, frutos secos, plátanos, cacao, pescado, etc.), madera, combustibles, medicinas, cosméticos, carne (monos, cerdos), pieles (cocodrilo, serpiente), mascotas (ranas, camaleones, serpientes, aves) y, muy importante, oxígeno. Se está debilitando el ecosistema de muy distintas maneras: talando árboles y destruyendo hábitats; mediante el monocultivo (cultivo de un sólo producto, por ej., café); mediante la pobreza (la gente no puede vivir allí, por lo que emigra); mediante el comercio ilegal de animales, las minas de oro y petróleo, la contaminación de los ríos y el turismo. La pluviselva influye en el clima del mundo, aunque de un modo que no está del todo claro. Su tala implica el peligro de crear desiertos, provocar sequías y más inundaciones. Talar un árbol de madera noble lleva unos minutos, pero hacer que crezca supone muchos decenios.

No hay soluciones sencillas

Tomemos el ejemplo de los chimpancés, que destaca el filme de la BBC *Ape Hunters*. Los niños consideran que son criaturas encantadoras, adorables, nuestros parientes más próximos que hay que conservar a toda costa. Sin embargo, hay comunidades de la pluviselva de Camerún y de otros países de África occidental cuya alimentación depende del chimpancé. Si el comerlos llega a ser ilegal, estas comunidades se verán afectadas de forma muy negativa. Llevará mucho tiempo cambiar los hábitos alimenticios de una comunidad entera.

Necesidades humanas básicas

La pluviselva satisface muchas de nuestras necesidades. Sin embargo, paradójicamente, la razón principal de la tala de las pluviselvas tropicales es el cultivo de alimentos para nosotros, como café, plátanos y pastos para ganado bovino. ¿Es esto lo que queremos que ocurra?

Los alumnos pueden dialogar sobre otra situación similar de "¿qué pasaría si...?" que tenga relación con ellos. Por ejemplo, ¿que pasaría si se ilegalizara en Europa comer carne?", o huevos, leche, azúcar o cualquier cosa que pudiese afectarles. Déjeles que piensen no sólo en las consecuencias para la dieta, sino también en qué harían para ayudar a que la gente cambiara sus hábitos.

Insectos y arañas

A la mayoría de los niños no les gustan los insectos. Les resultan aterradores y molestos, en pocas palabras, una peste. Entonces, ¿por qué no matarlos? He aquí algunos datos sobre los insectos:

- Un tercio de todos los animales conocidos está formado por insectos.
- La quinta parte de todos los animales conocidos está constituida por escarabajos.
- Hay 65.000 tipos de gorgojos.
- Los insectos ocupan todos los hábitats conocidos excepto en altamar.
- Los insectos han inventado unos sistemas sociales muy sofisticados (termitas, abejas, hormigas).
- El planeta contiene hasta 750 kg de termitas por persona.
- Pocos insectos miden más de 3 cm de largo y algunos son microscópicos, pero los insectos palo pueden llegar a los 30 cm de largo.
- Todos los insectos tienen 6 patas. La mayoría tiene alas, aunque muchos no pueden volar.

Para aumentar la conciencia de los alumnos respecto a su dependencia de las pluviselvas, puede pedirles que hagan una lista de todas las cosas de su uso personal que puedan proceder de las pluviselvas, o que puedan producir algún efecto sobre ellas, como cultivar café y plátanos. Facilíteles estos encabezamientos: *alimentos, ropa, casas, muebles, medicinas, combustible*.
¿Lo que comen, lo que llevan, donde se sientan, influyen en la pluviselva?

Las arañas, los escorpiones y las garrapatas pertenecen a la misma familia, se encuentran con facilidad, son siniestros, desagradables y de manipulación difícil. Hay unas 65.000 especies diferentes. Hay arañas gigantes, que comen pájaros, y tarántulas aterradoras y peludas. Todas las arañas tejen redes sedosas, en parte para atrapar sus presas, y segregan veneno para aturdirlas.

La telaraña es tan fuerte que una camisa tejida con ella estaría a prueba de balas. Eso es lo bueno; lo malo es que es tan elástica que la bala hundiría el tejido de la camisa en el cuerpo, penetrando en él sin romperla.

Los insectos primitivos habituales, que han estado circulando durante milenios, se pueden someter a estudio con facilidad. Están las cochinillas y las tijeretas, cuyos cuerpos tienen 11 segmentos y acaban en una especie de tenazas, en vez de cola. Se encuentran con facilidad en lugares húmedos y oscuros, debajo de piedras o en ciertas frutas, como las manzanas, que se estén pudriendo. Los alumnos pueden observarlas con una lupa, dibujarlas, decir para qué sirven las tenazas, estudiar qué les gusta comer.

Fobias

A menudo, los insectos, y en especial las arañas, asustan a los niños. Sin embargo, de unas 65.000 especies, sólo 24 son venenosas para los humanos. Es probable que aprendamos de nuestros padres a tenerles miedo; por eso es importante que los maestros no refuercen ese temor y ayuden a niños y niñas a superarlo. Pueden empezar manipulando bichitos pequeños como gusanos, cochinillas, mariquitas, insectos palo e incluso pequeñas arañas. Es bueno que se acostumbren a tenerlos sobre la piel para que descubran que sólo causan un ligero cosquilleo. Los maestros pueden enseñárselo y dejar que el bichito se les acerque. Recuerde que los niños tienen que lavarse las manos después de manipularlos. Es mejor que se acostumbren cuanto antes a tocarlos, en vez de aplastarlos o rociarlos con insecticida cada vez que los vean.

Entonces, ¿por qué no podemos matarlos a todos?

Una clave de la resistencia de la araña es su telaraña. Si puede sintetizarse, una fibra tan fuerte ha de tener aplicaciones asombrosas, aunque primero hay que analizarla. Si destruimos las arañas, no tendremos nada del material original con el que investigar. De igual manera, los percebes son una especie de investigación muy adecuada. Producen un pegamento asombroso, muy potente bajo el agua, que tiene gran interés para los constructores de barcos. Por tanto, la próxima vez que vayan a la playa, tengan cuidado con los percebes que están en las rocas.

Los insectos y las arañas sirven de alimento a otros muchos animales, sobre todo aves y pequeños reptiles. Insectos no, aves no; aves no... el ovillo vuelve a desenrollarse.

Los insectos comen néctar y las abejas y otros insectos desempeñan una función vital en la polinización de muchas plantas cuando van de flor en flor, buscando néctar. Sin las abejas, los cultivos no serían fértiles o no madurarían, en cuyo caso nosotros careceríamos de muchos cereales o frutas. Incluso, los insectos proporcionan alimento a los humanos: cuando, tras la eclosión, las termitas salen volando en la estación lluviosa en África, los niños las cazan y se las comen vivas, como un auténtico manjar. Lo mismo ocurre con las langostas y con otras muchas larvas de insectos. Y los insectos también desempeñan una función ecológica al comer la vegetación en estado de putrefacción y animales muertos. ¡Deje un trozo de plátano o de carne al sol y véalos llegar! Tanto a las hormigas, como a las avispas y a las moscas, les encantan los restos de alimentos, por lo que constituyen un factor importante en la red de vida del planeta.

Tierra, aire y océanos

Todos dependemos del agua, del aire y del suelo —nuestro medio natural— para vivir. Por eso, es vital que los cuidemos. Primero, debemos comprender qué es lo que los amenaza, de manera que podamos ayudar a proteger o conservar nuestro medio ambiente.

Hasta ahora, no hemos actuado bien. En muchos lugares del mundo, la mayor parte de la tierra pertenece a algunas personas ricas; la mayoría no tiene tierra en la que cultivar alimentos, por lo que dependen de comprarlos a las personas ricas que poseen las tierras que los producen. Siempre ha habido disputas: en la actualidad, por ejemplo, las hay en Israel, Zimbabue, la cuenca del Amazonas. En Gran Bretaña, mucha gente fue expulsada de las tierras comunes durante las *Clearances and Enclosures**, hace doscientos años, para dejar espacio a las ovejas de los ricos. La Iglesia, la familia real, el ministro de Defensa y algunas familias aristocráticas poseen aún amplias zonas de terreno; por ejemplo, el Príncipe de Gales es propietario de la totalidad de Dartmoor. Se ha discutido el acceso a estas tierras, aunque la reciente *Countryside Rights of Way Act* (CROW)** propone que las personas deben tener derecho de paso con fines legítimos de ocio.

Esta cuestión puede estudiarse muy bien mediante un ejercicio de simulación/juego de rol que contempla un caso local. "*Stepping Stones*"***, del *University of Derby Theatre in Education*, ofrece un excelente juego de rol. "En resumidas cuentas, ¿de quién es la tierra?" asigna a los niños el rol de periodistas que visitan un lugar para informar sobre una promoción inmobiliaria que se está iniciando. Allí se encuentran con diversas personas (terrateniente, agricultor arrendatario, conservacionista, promotor, párroco, corredor de fincas, etc.), cada una de las cuales defiende sus particulares intereses creados con respecto al uso de la tierra. Al final de la jornada, los "periodistas" escriben un artículo para el periódico local, revisando los datos y defendiendo la solución propuesta por cada cual.

---

* Literalmente: "expulsiones y cerramientos". Se trata de la época en que se produce una auténtica revolución agraria en Gran Bretaña, cuando muchos habitantes de tierras de labor se vieron obligados a abandonarlas para dirigirse a las ciudades. Tras las expulsiones, quedaron grandes extensiones de terreno bajo el dominio de personajes acaudalados o antiguos jefes de clanes, que procedieron a su "cerramiento". *(N. del T.)*

** "Ley de servidumbres de paso en el campo". *(N. del T.)*

*** "Peldaños". *(N. del T.)*

Las grandes cuestiones en relación con el terreno son: para qué se utiliza, quién se beneficia y quién decide.

> Si la escuela tiene un campo o hay cerca de ella algún solar abandonado, los alumnos pueden elaborar una tormenta de ideas respecto a su utilización; discutir las ventajas, los costes y los inconvenientes de cada posible uso para la comunidad local. Podrían hacer un análisis de cada propuesta en términos de puntos fuertes, puntos débiles, oportunidades y amenazas: ¿casas, parque, supermercado, piscina, pista de patinaje, granja ecológica, reserva natural, campo de golf, aparcamiento de caravanas?

En el plano de la ecoalfabetización, los criterios que podrían aplicar son:

- ¿Qué hábitats se perderían?
- ¿Qué hábitats podrían crearse?
- ¿A quiénes beneficiaría: niños o adultos, personas de la localidad o ajenas?
- ¿A quiénes incomodaría?
- ¿Incrementará o reducirá la diversidad social y cultural, es decir, nos permitirá hacer y compartir más cosas?
- ¿Generará un beneficio y, en tal caso, para quién?
- ¿Costará dinero y, en tal caso, quién pagará?

Conservación de la costa: Guardianship

Con frecuencia, los niños creen que no tienen mucho que hacer en materias de esta magnitud, pero hay formas para que las escuelas puedan ayudar a los alumnos a participar activamente en la conservación y a ecoalfabetizarse más en el proceso. Muchas organizaciones se preocupan por que se mantenga el acceso público a la costa, las playas permanezcan limpias, el agua esté apta para su uso y se conserve la diversidad de la naturaleza. El *National Trust* (NT) es propietario de gran parte de nuestras costas * y trabaja para conservar el medio. Uno de sus planes es el *Guardianship*, en el que las escuelas se vinculan con lugares e instalaciones de NT para ayudar a conservar el medio ambiente.

Los maestros pueden informarse acerca del plan *Guardianship* del *National Trust,* en el que las escuelas se asocian con instalaciones del NT con el fin de ayudar a cuidar y supervisar una zona. En la actualidad, están activos más de 100 planes de este tipo por todo el país y en la mayoría participan escuelas primarias. Consulte la página web de *Guardianship* en: http://www.nationaltrust.org.uk/main/w-chl/w-learning_discovery/w-schools/w-schools-guardianships.htm.

---

* En el Reino Unido. *(N. del T.)*

Tenemos un buen ejemplo en Studland Bay, en Dorset, donde la *First School* local trabaja en una parcela de monte y dunas en Knoll Beach, ayudando a estudiar y proteger lagartos raros y diversas plantas de monte bajo para que no las debiliten los abedules.

Diversas sociedades y grupos de voluntarios de distintas poblaciones tienen sus propios planes de conservación de la naturaleza, por ejemplo, la *Wembury Volunteer Marine Conservation Area* de Devon, donde se anima a la gente a que acuda a la zona de conservación y al centro de recepción de visitantes para descubrir distintos aspectos de la diversidad de formas de vida presentes en el área de la playa que queda al descubierto entre la pleamar y la bajamar y en el lecho marino, que abarca peces, mariscos, aves, animales de la arena, algares, gorgonias y corales. Como pone de manifiesto su folleto publicitario, *"La mitad de la fauna y de la flora de Devon vive en el mar"*, y gran parte está amenazada por la contaminación de petróleo y aguas residuales, naufragios o por la intervención humana. La intención de Wembury es contribuir a que las personas descubran, disfruten y protejan el medio ambiente (véase: http://www.devonwildlifetrust.org). Pocas cosas hay con las que disfruten los niños que metiéndose en los charcos que deja el mar al bajar la marea para examinarlos. He observado a niños de 6.º dedicados durante una hora a coger, observar y dibujar camarones, completamente ajenos a cuanto los rodeaba. ¡Es muy raro que eso ocurra en una clase!

No obstante, cualquier intervención, destructiva o constructiva, suscita cuestiones éticas. ¿Deberíamos estar haciendo esto? Es difícil abordar estas cuestiones, pero son también preguntas que atraen poderosamente a los niños, como los experimentos con animales, la clonación, el cultivo de amapolas, la utilización de animales para elaborar alimentos y prendas de vestir, los tratamientos de fecundación in vitro y los alimentos modificados genéticamente. La forma de abordar estas cuestiones con el fin de promover la ecoalfabetización es el tema del próximo capítulo.

© Ediciones Morata, S. L.

CAPÍTULO VIII

Cuestiones éticas

Era el mejor de los tiempos, era el peor de los tiempos, era la edad de la sabiduría, era la edad de la estupidez, era la época de la fe, era la época de la incredulidad, era la estación de la Luz, era la estación de las Tinieblas, era la primavera de la esperanza, era el invierno de la desesperación, teníamos todo ante nosotros, no teníamos nada ante nosotros.

(Charles DICKENS: *Cuento de dos ciudades.*)

Mejor, peor, correcto, erróneo, luz, oscuridad, esperanza, desesperación... esto podría haberse escrito en los albores del siglo XXI, pero DICKENS lo escribió a principios del siglo XIX. Los niños tienen un fuerte sentido de la justicia y saben lo que creen que está bien y está mal. Tienen esperanzas, miedos, placer, desesperación. Sus puntos de vista pueden ser, a veces, idealistas y poco prácticos pero los niños no siempre piensan igual que los adultos y pueden no estar de acuerdo entre ellos. Sin embargo, salvo que prestemos atención a sus ideas y valores, dejarán de fijarse en los nuestros.

Probabilidad y riesgo

Se han hecho muchas predicciones sobre el futuro de la vida en nuestro planeta. No hay manera de saber si llegarán a cumplirse, pero las que lo hagan tendrán consecuencias masivas para los niños de hoy a lo largo de su vida. Para ayudarles a examinar algunas de estas predicciones, puede pedirles que consideren cada una de ellas en relación con dos dimensiones: probabilidad y riesgo.

Aceptemos que *probabilidad* significa pensar en la evidencia que tenemos de que algo pueda suceder. Por ejemplo, la evidencia constituida por los registros meteorológicos de muchos años nos dice que es posible, aunque poco probable, que tengamos unas navidades blancas: el nivel de certeza es bajo. Podemos estar más seguros de que es improbable que un tornado sacuda Londres el día de Navidad, pues nunca ha ocurrido. Sin embargo, no podemos prever con facilidad cuándo comenzará el siguiente brote de SARS, ya que sabemos poco sobre ello. A medida que se acumulan las pruebas, podemos estar más seguros de nuestras predicciones; podemos deducirlas de lo que sabemos.

El *riesgo* es otra cosa. El riesgo que supone para una persona coger un resfriado es mucho menor que el que conllevan enfermedades como el sarampión, el ántrax maligno, el SIDA o la tuberculosis. Una epidemia de resfriado no es grave; una epidemia de tuberculosis, sí, y la tuberculosis se está extendiendo rápidamente de nuevo por el mundo.

Del mismo modo, las estrellas fugaces son una característica habitual del cielo nocturno; podemos decir con seguridad que es muy probable que veamos algunas en una noche despejada, sobre todo en agosto, temporada en la que son muy corrientes, pero, aunque sea muy probable que las estrellas fugaces lleguen a tierra, suponen poco riesgo para nosotros; no son peligrosas. Sin embargo, los asteroides son otra cosa. No tenemos ni idea de cuándo chocará alguno con la Tierra; es poco probable, durante nuestra vida, y eso es lo más que podemos decir. No obstante, si un asteroide chocara con nosotros, la mayor parte de nuestro planeta podría quedar destruida.

Podemos ilustrar esto con un gráfico con cuatro cuadrantes:

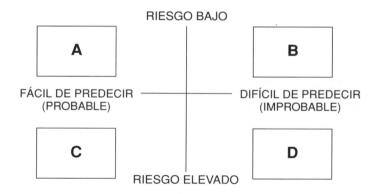

A   Riesgo bajo, fácil de predecir: por ej., habrá más personas que utilicen teléfonos móviles.

B   Riesgo bajo, difícil de predecir: por ej., el próximo invierno hará mucho frío.

C   Riesgo elevado, difícil de predecir: por ej., habrá un enorme terremoto en California.

D   Riesgo elevado, fácil de predecir: por ej., habrá más personas que contraigan el SIDA/VIH.

¿Qué tienen que ver con esto la ética y los valores? Si hay una probabilidad de que ocurra una cosa así y si el riesgo personal es elevado, los sujetos se sentirán moralmente obligados a hacer algo al respecto. Esto no significa necesariamente que quieran: las consideraciones éticas suelen tener el contrapeso de las consideraciones económicas y sociales.

Los alumnos pueden participar en una tormenta de ideas presentando otros ejemplos que se ajusten a cada categoría. Pueden pensar en cosas como el tiempo meteorológico, la salud, los viajes, los trabajos, los alimentos, la genética, y discutir después qué es lo que más nos preocupa. En pocas palabras, lo que se incluye en la categoría D es lo que hay que abordar con mayor urgencia; lo que entra en la categoría C supone también invertir más dinero en investigación y protección en el futuro.

He aquí algunos ejemplos para empezar. ¿En qué categoría se incluye cada uno de ellos?

Para niños pequeños:
• La fusión de los polos norte y sur.
• Depositar más basura en los vertederos.
• Pescar todos los peces de los océanos.
• Coches, trenes y aviones más rápidos.
• Ausencia de lluvias en África durante tres años.

Para niños mayores:
• Trasplante de órganos de animales a humanos.
• Poner la vacuna triple (sarampión, paperas, rubéola) o la sencilla contra el sarampión.
• La clonación de un bebé humano.
• La destrucción completa de la pluviselva brasileña.
• Una epidemia de fiebre aftosa en Europa.
• Agotar las reservas mundiales de petróleo y gas.
• El aumento de las diferencias entre ricos y pobres.

La ética y la basura

Tomemos el ejemplo del vertedero. En los cinco próximos años, es probable que se incremente la cantidad de basura que produzcamos. Todos sabemos que esto es malo; si lo hacemos, el riesgo para el medio ambiente es grande. Sin embargo, aún así, es probable que ocurra, porque no nos gustan las consecuencias de reducir los desperdicios. Podría suponer, por ejemplo: no comprar en los supermercados (tienen demasiados envoltorios), no utilizar cosas en recipientes de plástico (difícil de reciclar), comprar sólo productos biodegradables, clasificar nuestros desperdicios, convertir en abono todos los desechos de comida, reutilizar botellas y tarros, acudir periódicamente a los contenedores de vidrio, papel y metales, comprar sólo productos reciclados,

utilizar fuentes de energía renovables, etc. A muchas personas, hacer esto les resulta demasiado difícil. Desde el punto de vista ético, es correcto, porque reduce el riesgo medioambiental, pero, desde los puntos de vista práctico, social y económico, nos resulta complicado porque los adultos estamos muy acostumbrados a hacer las cosas de determinada manera y, además, los precios del supermercado son más bajos. ¿Con qué frecuencia llevas las botellas, las latas, el papel y los trapos a los correspondientes contenedores de reciclado?

Toda decisión supone contrastar, consciente o inconscientemente, las cuestiones éticas con otras consideraciones. Los niños empezarán a hacerlo desde una edad temprana, pero necesitan que les facilitemos pruebas e información que les ayuden a pensar en los problemas éticos. Cuanto más tengan en cuenta los diferentes aspectos de una cuestión, más ecoalfabetizados estarán. El papel del maestro consiste en estar bien informado y en poner esa información y las pruebas disponibles al alcance de niños y niñas. Ellos necesitan sentir que tienen algo que decir. La pregunta: "¿Quién decide?" hay que plantearla más a menudo. Ninguno actuará hasta que se convenzan.

© Ediciones Morata, S. L.

Es sólo un juego...

En Gran Bretaña, la gente vota a menudo. Vota para decidir quién deja la casa de Gran Hermano, quién se queda en Operación Triunfo o en Supervivientes, quién gana *Pop Stars* y otras muchas votaciones de TV. El hecho de tener un voto que pueda decidir, incluso en un juego, puede dar a la gente la sensación de que tienen influencia sobre algo, pero las grandes decisiones políticas están cada vez más influidas por compañías gigantes, algunas de las cuales son más ricas que la mayoría de los países del mundo. No sólo pierden influencia las personas ordinarias, sino los mismos políticos también. Si eres pobre y te sientes indefenso, a menudo puede dar la sensación de que la única manera de asumir el control de la propia vida es mediante el delito o la violencia. Gran parte de los conflictos del mundo están causados por esa indefensión. En muchas naciones, los votos no significan nada.

Sus alumnos querrán saber por qué motivos se está luchando en Iraq, Zimbabue, Congo, Palestina o en cualquier otra parte. Por regla general, las razones son complejas: una mezcla de creencias religiosas diferentes, lealtades tribales, desigualdades económicas, hambre, falta de tierras, acceso al petróleo, armas y otros recursos valiosos. No tiene sentido "votar" a favor de Israel o de Palestina, salvo que sepamos por qué lo hacemos. Entonces, ¿qué es lo ético en estas cuestiones? Los alumnos necesitan una base sobre la que dar un voto ético, por lo que pueden defender sus razones a su nivel. Primero, necesitan saber y comprender la terminología y utilizar materiales textuales (libros, páginas web, etc.) para obtener información. Los maestros pueden reunir recortes de periódicos y artículos de revistas que vengan al caso, indicarles buenas páginas web y dejarles después que elaboren sus ideas y hagan preguntas. El hecho de ser personas activas como alumnos les ayuda a aprender a ser activos como ciudadanos en el futuro. Los niños tienen derechos, como establece la Convención de las Naciones Unidas sobre los Derechos del Niño y, con la información adecuada, pueden tomar decisiones maduras.

VIH/SIDA: Un ejemplo de aprendizaje activo

Éste es un tema que afecta directamente a los niños, y no por culpa suya, sobre el que la información de que se dispone no es escasa. El libro de DfID/Action Aid* sobre la ciudadanía activa: *Who Decides?* (PRICE, 2001) contiene un largo epígrafe sobre cómo enfocar el tema. En la página web: www.unaids.org, de la ONU, se presentan pruebas actualizadas y se indican otras páginas que pueden consultarse. Para los niños, es muy instructivo que

---

* El *Department for International Development/Action Aid (DFID/Action Aid) (Departamento para el Desarrollo Internacional/Ayuda en Acción)* del Gobierno del Reino Unido es una Agencia que gestiona la ayuda británica a los países pobres (http://www.dfid.gov.uk). *(N. del R.)*

busquen en Internet páginas sobre el VIH/SIDA: encontrarán muchas que son fiables y algunas que hacen propaganda de diversos tipos. Éste es un buen ejemplo de un tema que les exige que distingan entre las pruebas y las opiniones y prejuicios. Encontrarán organizaciones que dan ideas para implicarse de alguna manera, otras que presentan relatos de éxito, como *Stepping Stones* en Tanzania y Uganda (www.stratshope.org). La lectura y el diálogo suscitarán preguntas: ¿por qué ataca más el VIH/SIDA a las niñas africanas que a los chicos? ¿Por qué están más afectados los pobres que los que tienen dinero? ¿Qué ocurre con los huérfanos a causa del SIDA? ¿Puede curarse el SIDA? ¿Qué medicamentos sirven para los niños? ¿Qué les ocurre a los que nazcan seropositivos?

Les resultará difícil asimilar algunos datos; por ejemplo, en Sudáfrica, muchos maestros de primaria son seropositivos y, en algunas tribus, es corriente que los hombres mayores ("tíos") "estrenen" a las niñas sexualmente activas, contagiando la enfermedad a la madre y al hijo antes de que la niña haya concebido. ¿Sus hijos pueden asimilar estas verdades tan difíciles de admitir? ¿Es aceptable esta información en el contexto de las normas de educación sexual de su escuela?

¿Qué tiene que ver todo esto con la ecoalfabetización? A continuación cito algunas cuestiones para los maestros:

- ¿De qué manera forman parte las personas del ecosistema de un país, un continente, el planeta?
- ¿Cuál sería el impacto si la población económicamente activa de este país se redujera drásticamente?
- ¿Cómo influyen las actitudes culturales en la forma de afrontar las enfermedades? ¿Por qué es difícil cambiarlas?
- ¿Cuál podría ser el coste (en medicamentos, médicos, enfermeros, hospitales) de tratar de manera eficaz el SIDA en los países pobres? ¿De dónde podría salir ese dinero?
- ¿Quién está tomando las decisiones importantes sobre el suministro de fármacos antirretrovirales contra el SIDA?
- ¿Qué papel ha desempeñado la educación para aliviar la epidemia de SIDA? ¿Hasta qué punto ha tenido éxito en este país?

La historia de St. Kilda

Como la historia de la isla de Pascua, este relato suscita cuestiones para que los niños reflexionen sobre lo que no se desarrolló bien y cómo se podría haber evitado.

La isla de St. Kilda, a 50 km de la costa escocesa, en el océano Atlántico, tuvo una población permanente durante muchos siglos y hasta la década de 1950, cuando se marcharon los últimos habitantes. Abandonaron la isla porque el ecosistema se desequilibró y dejó de ser sostenible. ¿Qué factores causaron esta situación?

Los isleños habían dependido siempre de las ovejas y las aves marinas, en especial los alcatraces, para obtener alimentos, aceite, lana y otros productos básicos. Las ovejas permanecían pastando en una isla más alejada a la que sólo se accedía en pequeños barcos, atravesando un peligroso canal. Los hombres más jóvenes descendían por los acantilados casi verticales, con grave riesgo personal, para recoger alcatraces y sus huevos. Los alcatraces se utilizaban como combustible, sus huevos, como alimento, sus plumas para hacer colchones. El primer trastorno de este estilo de vida mantenido en un delicado equilibrio se debió a la religión, seguida por la educación.

Cuando la Iglesia llegó a St. Kilda, impuso que los jóvenes no trabajaran los domingos, reduciendo así su eficacia en un séptimo, en torno al 15%. Cuando llegó la enseñanza primaria, los mejores alumnos (chicos adolescentes) fueron enviados a Gran Bretaña para su escolarización secundaria y la mayoría no quiso regresar. Pronto dejó de haber suficientes personas para recoger alimento de los acantilados y hacer los peligrosos viajes con las ovejas; la comunidad no podía procurarse alimentos, por lo que emigraron más personas (jóvenes). Se había destruido el delicado equilibrio que hizo sostenible la comunidad. Al final, sólo quedaban unas 50 personas, ninguna de ellas joven, que fueron trasladadas a Gran Bretaña cuando las fuerzas británicas instalaron una base de radio y radar en la isla durante la Segunda Guerra Mundial. Véase más información en el libro de Tom STEELE: *The Lide and Death of St. Kilda* (STEELE, 1975).

La huida de la agricultura

Es posible que la historia de St. Kilda tenga poca relevancia para los niños del siglo XXI, pero ahora mismo estamos haciendo cosas parecidas. Por ejemplo, en Gran Bretaña, la agricultura y la ganadería son cada vez menos sostenibles. Paulatinamente hay menos granjeros que saquen beneficio de la leche y de la cría de ganado ovino y bovino. Algunos ganaderos del Lake District sólo crían ahora ovejas para dedicar la lana al aislamiento de las casas, pues el precio de la lana es menor que el coste del esquileo de las ovejas.

| Vivienda | Inf. producto | Aspectos técnicos | Aplicaciones | Preguntas frecuentes | Noticias |

AISLAMIENTO TÉRMICO DE LANA DE OVEJA

Parece que sólo sobreviven los grandes cultivadores de cereales y todos reciben enormes subvenciones. También están reduciendo espacios de cultivo y utilizando cantidades masivas de abonos.

Cada vez son más los agricultores que están abandonando sus campos vendiéndolos para hacer casas, campos de golf, centros para montar a caballo, parques de atracciones. Ahora bien, ¿qué ocurre si no se trabaja y se cuida la tierra? El *National Trust* está comprando fincas poco a poco con el fin de cultivarlas, pero esto representa tan solo una pequeña proporción. Si los agricultores abandonan la tierra, ¿qué ocurrirá con los campos, las vallas, los muros, las cancelas, los caminos? ¿Y de dónde vendrá nuestro alimento?

Se plantean aquí algunas cuestiones importantes del tipo "¿qué ocurre si...?" sobre las que pueden reflexionar los niños. Todos los alumnos consumen alimentos, pero pocos han estado en una explotación agrícola. Las visitas a estos lugares son ahora más asequibles que nunca y todas las escuelas tienen a una distancia prudencial alguna finca abierta. *Farming and Countryside Education* (FACE) es una organización dedicada a ayudarnos a descubrir más información de este tipo. Su página web es www.face-online.org. Lleve a los alumnos a visitar una explotación agrícola y después plantéeles algunas cuestiones importantes:

- ¿Qué pasaría si desapareciesen todas las explotaciones agrícolas de esta zona? ¿Qué podría ocurrirle a la tierra?
- ¿Qué pasaría si cultivásemos cada vez menos alimentos y tuviésemos que comprarlos a otros países? ¿Cómo nos afectaría?
- ¿Tiene importancia quién sea el propietario de las tierras que eran explotaciones agrícolas?
- ¿Qué pasa si las tierras de cultivo se utilizan para construir casas y nuevas poblaciones?

Las grandes cuestiones

Ya hemos señalado en este libro las grandes cuestiones de las que pueden ocuparse los niños para desarrollar sus capacidades relacionadas con la ecoalfabetización. Tienen que ver con el agotamiento de los recursos del planeta (energía, agua, animales, plantas); la clonación y la modificación genética; las enfermedades, el cambio climático; las sequías, las inundaciones y el hambre; la distancia cada vez mayor entre ricos y pobres; la contaminación del aire y del agua; el aumento de la población; el crecimiento económico y tecnológico; las drogas y los delitos; las creencias religiosas, la guerra y el terrorismo.

Sin embargo, a los niños y niñas les resulta difícil examinar estas cuestiones en un plano global. Es preferible que aborden hechos que les influyan aquí y ahora. Agenda 21 adoptó como lema: "Piensa global, actúa local".

Por ejemplo, en el momento de redactar este texto, 150 millones de personas, en 6 de las principales ciudades de Norteamérica carecen de electricidad. Parece que esto se ha debido a una sobrecarga de un sistema con una capacidad demasiado escasa para absorber los picos de demanda de energía. Los expertos dicen que, en Gran Bretaña, acabará ocurriendo algo similar. Los niños comprenden el impacto de un apagón en la calefacción, la luz, los ordenadores, los televisores, los microondas. En cierto sentido, esto es una cuestión local, que representa un problema global, sobre la que pueden reflexionar. ¿Cómo utilizan los alumnos innecesariamente la electricidad y cómo pueden reducir la demanda?

Abundan los ejemplos y seguirán apareciendo de forma imprevisible. En 2002, Europa central quedó paralizada por las inundaciones. La guerra de Oriente Medio está afectando el suministro de petróleo. A mediados de la década de 1980, cuando la pesca de la ballena se estaba prohibiendo internacionalmente, muchas escuelas primarias utilizaron el tema de "Salvad las ballenas" como motivo importante en sus clases, y ahora la pesca de la ballena ha recomenzado en Islandia. ¿Es hora de pensar de nuevo en la aniquilación de las ballenas? Los bous de pesca de arrastre que se dedican a la pesca de la lubina están matando y mutilando docenas de delfines en la costa inglesa. Los pescadores van a capturar lubinas porque se han reducido las cuotas de pesca de otras especies y tratan desesperadamente de mantener su medio de vida. ¿Reservas de peces o la vida de los pescadores? En algunas zonas de Gran Bretaña, esta cuestión es importantísima para los niños y sus familias.

Nuevos fármacos y técnicas médicas

Nuevos remedios o formas de prevención para el cáncer, las cardiopatías y los trastornos genéticos reforzarían enormemente las oportunidades de vida de las personas. Saber si un bebé va a nacer con un trastorno genético, como el síndrome de Down, debe de ser muy útil para los padres. No obstante, siguen en pie diversos problemas éticos. Por ejemplo, ¿sería mejor o peor que todo el mundo viviese 100 años?

El conocimiento científico se deriva de las prioridades que establezcan las personas con respecto a qué investigar, qué remedios buscar, qué tratar; se dice que "la única ciencia que tenemos es la ciencia que hace cosas".

No hace mucho, en el Reino Unido, el gobierno anunció que el tratamiento de FIV (fecundación in vitro o tener bebés-probeta, como se ha llamado) estará en el catálogo de intervenciones del Servicio Nacional de Salud (SNS), lo que posiblemente costará al SNS billones de libras. ¿Cómo se ha decidido esto? ¿Quién dispone que la FIV es más importante, por ejemplo, que los escáneres cerebrales, la implantación de prótesis de cadera, los riñones artificiales, más clínicas de maternidad, más personal de enfermería, más médicos? ¿Cuáles son las prioridades de sus alumnos? ¿Cuál es su opinión sobre la ética de la situación? ¿Quién merece la prioridad? ¿Quién debe decidir?

Cuando se pregunta a los alumnos qué enfermedades matan a más personas en el mundo, es probable que respondan que el cáncer y las enfermedades del corazón. Sin embargo, las que más muertes producen son las enfermedades tropicales, como la malaria y el cólera, y aquellas que están controladas desde hace mucho tiempo en los países ricos, como el sarampión, la neumonía y la tuberculosis. En África el SIDA se está convirtiendo en la primera causa de muerte de personas jóvenes. Muchas páginas web presentan estadísticas actualizadas acerca de estas enfermedades, empezando por la de la Organización Mundial de la Salud dedicada a estadísticas epidemiológicas por países: http://www.who.int/whr/es. Los alumnos pueden plantearse por qué siguen extendiéndose estas enfermedades. ¿Es porque no hay medicinas que las curen? ¿Es porque la investigación se centra en las enfermedades de los países ricos y no en las que afectan a las personas pobres? ¿Es porque a los pobres no les resulta fácil conseguir información ni acceder a los tratamientos? ¿Es porque no nos preocupa? ¿Cómo pueden descubrirlo?

También se puede pedir a los alumnos que piensen en lo que parece que importa en nuestro propio sistema. Un buen ejemplo puede ser el tratamiento de fecundación in vitro.

Por último, está la cuestión ética relacionada con quienes poseen la información sobre las plantas que pueden tener propiedades medicinales valiosas. Éste es un problema mundial tocante a la propiedad intelectual. Los alumnos pueden examinarlo mediante el juego de rol. Primero, cuénteles esta historia:

La tribu *erucrednou* vive en la pluviselva amazónica. Hasta 2001, nunca había tenido contacto con individuos ajenos a la pluviselva. Las primeras personas que la encontraron, un grupo de exploradores mexicanos, descubrieron que la tribu nunca había padecido de malaria, aunque, en la zona en que vivía, había mosquitos de malaria por todas partes. Los *erucrednou* dijeron a los exploradores que mascaban una planta que llamaban *gurduen*, que los descubridores no habían visto nunca. Recogieron muestras y las llevaron a México. Un grupo de científicos norteamericanos de *Richplant*, una gran empresa farmacéutica, tuvo conocimiento de ello. Pidieron muestras a los mexicanos, analizaron la planta y descubrieron que contenía un compuesto desconocido hasta entonces; lo probaron en voluntarios que viajaban a la Amazonia y descubrieron que no contraían la malaria, aunque les picasen los mosquitos. *Richplant* envió de inmediato a científicos a la Amazonia para que recogiesen más *gurduen*. Pidieron a los *erucrednou* que les enseñasen dónde crecía. Poco después, *Richplant* estaba cultivando, purificando y vendiendo el maravilloso fármaco por todo el mundo, obteniendo unos enormes beneficios.

Ahora, solicite a los niños que adopten los roles correspondientes: indios *erucrednou*, exploradores mexicanos, científicos y directivos de *Richplant*, farmacéuticos, viajeros que van a zonas de malaria y, por último, periodistas. Plantéeles cuestiones de este tipo:

- ¿Quién debería beneficiarse de este descubrimiento?
- Si el fármaco *gurduen* se vende a 5 dólares cada pastilla, ¿qué cantidad debería ir a parar a cada uno de los que intervinieron?

(Continúa)

- ¿Qué parte de este dinero debería llegar a los *erucrednou*?
- ¿Qué les ha ocurrido a los *erucrednou*, ahora que el *gurduen* se cultiva comercialmente?
- ¿Cómo habría que recompensar a los exploradores mexicanos?
- ¿Qué podría hacer esto al ecosistema de la pluviselva en la que vive el *erucrednou*?
- ¿Qué quieren los farmacéuticos?
- ¿Qué obligaciones tiene *Richplant* para con la tribu y los exploradores mexicanos?
- ¿Quién es el propietario de los conocimientos sobre el *gurduen*?

Pida a sus alumnos que celebren en la pluviselva una "gran reunión", dentro de sus roles, para solucionar estas cuestiones. Sería una actividad ideal después de una visita al *Eden Project* o a *The Living Rainforest*. Pida a los periodistas que tomen notas y elaboren historias como si fuera una página de portada (en estilo tabloide, en estilo de hoja grande), con titulares e ilustraciones. Solicite a los demás que decidan qué historias les parecen justas.

Este escenario no es del todo hipotético, como demuestra este reciente artículo de Reuters:

LOS CIENTÍFICOS ANALIZAN UN ARBUSTO CHINO ANTIMALARIA
Reino Unido, 21 de agosto de 2003

LONDRES – Científicos británicos dicen que pueden haber resuelto el misterio de cómo contribuyen a combatir la malaria unos extractos de un arbusto aromático chino. Dicen que, si se demuestra que la teoría es correcta, podría llevar a la producción de una nueva generación de fármacos para tratar una enfermedad que mata a diario a tantas personas como murieron en los ataques al World Trade Center del 11 de septiembre.

Los chinos han utilizado los extractos de plantas, conocidos como artemisininas, durante centenares, si no miles, de años. Conocida en China como quingao, la artemisia se menciona en textos chinos que datan del siglo IV como tratamiento para las fiebres. A principios de la década de 1970, los científicos chinos obtuvieron un compuesto elaborado a partir de los extractos que ayudan a tratar la malaria. Desde entonces, las artemisininas se han utilizado mucho para luchar contra la enfermedad. El científico Dr. Krishna espera que la investigación lleve a la producción de artemisininas sintéticas que sean aún más eficaces que las artemisininas naturales.

"Hemos empezado bien. Ya veremos si podemos seguir así", ha dicho a Reuters. "Yo estoy hablando con los químicos sobre la posibilidad de obtener artemisininas sintéticas".

Las artemisininas poseen la ventaja añadida de que tienen pocos efectos secundarios conocidos y, hasta ahora, son inmunes a la resistencia. Gideon LONG. REUTERS NEWS SERVICE

Escenarios futuros

Estas cuestiones son importantes para ahora y para el futuro. Los jóvenes se preocupan apasionadamente por el futuro, pero, ¿nos tomamos el tiempo necesario para escuchar lo que piensan? En su libro *Lessons for the Future* (2002), Dave Hicks presenta un cuadro fascinante de las esperanzas y los temores de los jóvenes que, a menudo, son reflejo de los que tienen los demás. Suelen centrarse en el medio ambiente, la seguridad personal y la calidad de vida. Desde su punto de vista, los maestros no dedican al futuro tiempo ni atención suficientes; para Hicks, es la "dimensión ausente" del currículum, y señala que, para los alumnos, una forma de considerar el futuro consiste en la utilización de escenarios.

Pruebe esto. Dibuje o describa un escenario futuro para su ciudad, pueblo o comunidad (puede encontrar ejemplos que le ayuden en Hicks, págs. 48-51). Puede probar escenarios idealistas, románticos, tecnológicamente desarrollados, sostenibles o desastrosos. Solicite a sus alumnos que hagan lo mismo. Después, comenten en clase cada escenario. ¿Os gustaría vivir en él? ¿Qué tiene de bueno y qué de malo? ¿Quién saldrá beneficiado y quién perjudicado en ese escenario?

Algunos pueblos africanos dicen que tienen "un recuerdo del futuro". Pregunte a los alumnos cuál puede ser su recuerdo del futuro y pídales que escriban de forma creativa sobre él en poemas o relatos, o dibujen, dramaticen y creen música sobre ello. Los alumnos deben expresar sus puntos de vista y sus sentimientos. Esto no es algo que se enseñe a sentir y que pueda estar bien o mal, ni es un tema para examen, sino una forma de ayudarles a ecoalfabetizarse algo más.

CAPÍTULO IX

Equilibrio y colaboración

Mire las fotografías de la página 96 y piense en el equilibrio. ¿Cuántos ejemplos de equilibrio ve? Puentes, barcas, personas en bicicleta... pero el ejemplo más significativo es el agua en el río. Fluye continuamente; el agua cambia, a veces es clara y a veces turbia, pero el nivel permanece más o menos constante, aunque las riadas lo elevan, desequilibrándolo de forma temporal. El equilibrio se restaura porque, durante una riada, el agua pasa a mayor velocidad sobre la presa.

El agua se está reciclando constantemente en el planeta por evaporación, condensación, gravedad, respiración, transpiración, corrientes oceánicas, mareas. Hay muchos científicos que creen que el calentamiento global está acelerando el proceso, dándonos un tiempo meteorológico más cálido, sequías y tormentas más frecuentes, más inundaciones. Sin embargo, el agua no desaparece. Simplemente, se mueve a mayor velocidad.

Para responder a esta noticia reciente, es probable que los alumnos tengan que mirar un globo terráqueo para descubrir todas las consecuencias.

Un informe presentado ayer mostraba que, a finales de siglo, el calentamiento global derretirá en verano la mayor parte del casquete polar ártico. El estudio internacional, que ha durado tres años, indicaba que el hielo que rodea el Polo Norte se ha reducido en torno al 7,4% en los últimos 25 años, alcanzándose la cobertura mínima en septiembre de 2002. "La capa de hielo del Ártico en verano puede reducirse un 80% a finales del siglo XXI", dice el profesor noruego Ola JOHANNESSEN, el autor principal del informe financiado por la Comisión Europea.

"El mar ártico de Barents, al norte de Rusia y de Noruega, podría quedar libre de hielos, incluso en invierno, al final del siglo", dice JOHANNESSEN. "Esto facilitará la exploración para descubrir petróleo, podría abrir la ruta marítima del Norte entre los océanos Atlántico y Pacífico". El paso marítimo del Norte podría ahorrar a los exportadores unos 10 días en el viaje de Japón a Europa. JOHANNESSEN señala que el informe indica también que la reciente pérdida de espesor del casquete polar está ligada a las emisiones humanas de gases, como el dióxido de carbono. El nuevo estudio se suma a las pruebas del gradual adelgazamiento de la capa de hielo y presenta signos más firmes de que las emisiones humanas, como las de los tubos de escape de los coches y las chimeneas de las fábricas, son las principales responsables. Los expertos en el clima dicen que las áreas polares se están calentando más que otras regiones. REUTERS NEWS SERVICE, 2003.

Puede hacerse una lista de los pros y los contras de esta situación. ¿Quién gana? ¿Quién pierde?

Una forma sencilla de que sus alumnos observen el equilibrio en acción consiste en hacer germinar semillas en un mini-invernadero realizado con una botella de plástico, como ésta:

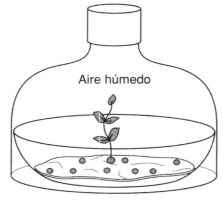

Aire húmedo

Parte superior de la botella de plástico

Semillas que germinan

Papel de cocina húmedo

La semilla germina y la planta sigue creciendo, a pesar de que no entra nada desde el exterior del invernadero (salvo la luz solar). Verán que se condensa agua en el "techo" del invernadero y se desliza hacia abajo. La planta absorbe dióxido de carbono y produce oxígeno. El sistema está en equilibrio y la planta crece.

Nuestro planeta ha conseguido mantenerse en equilibrio durante millones de años. Los ciclos que comentamos en el Capítulo V son las formas principales mediante las que ese equilibrio se ha mantenido. Sin embargo, ahora lo estamos interfiriendo de un modo peligroso, igual que hicieron los habitantes de la isla de Pascua cuando talaron sus palmeras.

Una manera de atajar este problema es adoptar la idea de que "los desperdicios son alimento" y establecer formas de colaboración, de modo que no los tiremos, sino que los pongamos a disposición de otros seres. CAPRA nos pone un ejemplo de esto en una explotación de café de Colombia.

Pida a sus alumnos que interpreten el diagrama, partiendo de la planta de café. Se introducen gusanos en los desperdicios vegetales de los cafetos para producir abonos para el huerto, y más gusanos para alimentar a las aves. El agua y el abono ayudan a cultivar setas, que se utilizan para alimentar a cerdos y vacas. Su estiércol sufre una digestión anaerobia para hacer biogás, que se quema para producir energía calorífica. Los productos son granos de café, hortalizas, cerdos, ganado y pollos; prácticamente, no hay desperdicios.

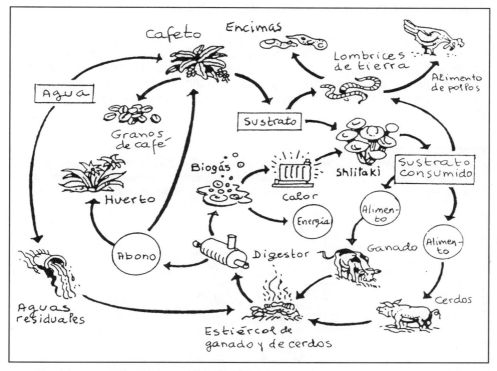

Modificación del diagrama de Capra, *pág. 207.*

Si el cultivador de café no hubiese estado colaborando con el cultivador de setas y el ganadero, se habrían producido muchos más desperdicios (los granos de café son sólo el 4% del cafeto) y estos ganaderos habrían tenido que comprar más piensos.

Esta forma de trabajar se conoce como *emisiones cero* y la practican muchas industrias, como la silvicultura, la industria papelera, la cervecera, la fabricación de aceite de palma. Puede encontrar mucha más información sobre el tema en www.zeri.org.

> Es probable que su escuela pueda establecer acuerdos de colaboración para utilizar los desperdicios, en vez de tirarlos, empezando por el papel o el agua. Los alumnos pueden pensar en formas de reutilizar el papel "usado" de la escuela, poniéndose en contacto con otras personas que puedan darle alguna utilidad. También pueden sugerir usos para el agua, que dejan correr hacia el alcantarillado, por ejemplo, para regar las plantas.

Algunos ejemplos sencillos de equilibrio

Cuando una cosa cambia, otras tienen que adaptarse para restaurar el equilibrio. La palabra "equilibrio" se utiliza en muchos contextos y los alumnos tienen que distinguir entre ellos. Un ejemplo sencillo es el de dos niños en un balancín: si uno se mueve y lo desequilibra, el otro tiene que moverse para reequilibrarlo. Otro ejemplo es el de la prueba de "coge la moneda".

> Pida a un niño que se mantenga de pie, con la espalda y los talones pegados a la pared, y ponga a sus pies una moneda. Dígale que, si puede coger la moneda sin mover los pies ni caerse hacia delante, la moneda es suya.
>
>
>
> Esto es imposible porque, cuando se venza para coger la moneda, tiene que inclinarse hacia atrás para conseguir mantener el equilibrio, pero la pared le impedirá hacerlo.

El ejemplo sorprendente es la regla que se balancea. Lo único que necesita es una vara alargada y delgada, como una regla métrica o, incluso, un colín (véase el recuadro de la página 99).

Adaptación

Cuando los alumnos hayan adquirido la idea del equilibrio en distintos contextos, pueden pensar en la adaptación. La adaptación es lo que lleva las cosas al equilibrio: ¿cómo se adaptaba el niño al balancín? Ahora, los alumnos están preparados para pensar en *hábitats* o ecosistemas en equilibrio, como una alberca. Si una cosa cambia, ¿cómo se adaptan las demás? Por ejemplo, con tiempo muy seco, el agua que fluye hacia la alberca deja de hacerlo, por lo que descienden los niveles de oxígeno de ésta. ¿Cómo se adaptan los peces? Comen menos y se quedan quietos, cerca de la superficie, de manera que utilizan menos energía y obtienen el máximo de oxígeno (hay más cerca de la superficie, donde el agua está en contacto con el aire). Los ciprinos dorados se desenvuelven muy bien en estas circunstancias; se han adaptado a vivir en agua con poco oxígeno. La trucha no sobreviviría, porque necesita mucho oxígeno. Los peces se han adaptado también desarrollando aletas que les ayudan a moverse deprisa, para que el agua fluya a través de sus branquias, para coger el alimento y evitar los depredadores.

Sostenga la regla sobre los dedos índices de cada mano, tal como muestra la figura:

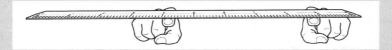

Pida a los niños que predigan qué ocurrirá cuando mueva los dedos, despacio y al mismo tiempo, hasta que se toquen. ¡Pruebe a hacerlo antes de seguir leyendo! La mayoría dirá que se caerá la regla por estar desequilibrada. Sin embargo, no ocurre así, con independencia de dónde estén los dedos al empezar. Le dirán que ha hecho trampa o que tiene pegamento en los dedos, así que déjeles que prueben ellos. Siempre termina equilibrada, con ambos dedos en el centro. Se debe a que la fricción es diferente dependiendo de lo alejados que estén los dedos del centro, por lo que el dedo más alejado se mueve siempre solo, hasta que ambos estén equidistantes del centro.

Del mismo modo, los patos han desarrollado unas patas palmeadas, los osos polares una piel muy gruesa, los halcones unas garras afiladas, los camaleones cambian de color. Sin estas características, no podrían sobrevivir en sus *hábitats*. ¿Qué adaptaciones hemos desarrollado los humanos? La más obvia es que aprendimos a andar sobre las dos piernas, en vez de sobre cuatro, liberando nuestros miembros superiores para otros usos, como transportar y utilizar herramientas y hacer gestos para comunicarnos.

Los alumnos pueden pensar en plantas corrientes y en cómo se han adaptado. Los cactos tienen tallos gruesos para almacenar agua, los tulipanes presentan colores brillantes para atraer insectos, las rosas desprenden perfume para atraer a los insectos y espinas para ahuyentar a los herbívoros que comen hojas. Una visita a algún lugar similar al *Eden Project* les ayudará a descubrir cómo se han adaptado los árboles a distintos ambientes; también pueden investigar esto en la página web de Eden (www.edenproject.com).

Compartir recursos: La importancia del agua

Este libro ha comentado los aspectos científicos, económicos, sociales y éticos de las enfermedades, la modificación genética, el calentamiento global y otras cuestiones. Todo ello ayudará a desarrollar la ecoalfabetización de los niños. Sin embargo, la cuestión más importante de todas es el agua. En potencia, es la causa del mayor desastre medioambiental del planeta y es un recurso que todos tenemos que compartir. Con respecto al agua, trabajar en colaboración, equilibrar las necesidades de las distintas partes de la red de la vida es absolutamente crucial.

El impacto de la estadística

Si tiene impacto, se recordará, y no cabe duda de que la estadística sobre el agua impresionará a los alumnos, sobre todo si Vd. la ilustra con ejemplos concretos, como éste:

Pregunte a los alumnos cuánta agua utilizan en un día. Pueden estimarlo en litros, cubos o de cualquier otra forma. Les sorprenderá saber que, en promedio, en el Reino Unido, el consumo diario de agua está en torno a los 475 litros (50 cubos llenos) por persona y día, o unos 1.500 cubos para toda la clase. ¡Esto equivale a dos cubos por persona y hora, día y noche! Llene dos cubos y péguelles un rótulo que diga: MI CONSUMO DE AGUA POR HORA, y póngalos a la vista de toda la clase.

¿Cuánta agua creen los alumnos que contiene su cuerpo? El niño promedio tiene unos 25 litros: dos cubos grandes llenos. Más de la mitad está en las células; el resto, en la sangre y en los fluidos tisulares. Un niño tiene que beber de 2 a 4 litros diarios para mantener estos niveles o, de lo contrario, se deshidratará. Esto es grave, porque, sin agua, no puede realizarse ninguna de las funciones corporales esenciales. Su sangre se espesará, y ellos se volverán más lentos y se cansarán; después, los microorganismos que metabolizan los alimentos dejarán de desarrollarse, por lo que no podrán digerir la comida.

¿Cómo mantenemos en equilibrio nuestros niveles de agua? Tomamos agua al beber y la perdemos al respirar, sudar y orinar. Beber demasiada agua es mejor que ingerir muy poca.

Pregunte a los alumnos cuánta agua beben en un día. ¿Es suficiente? Prepare cuatro botellas de litro llenas de agua, para que las vean y aprecien la cantidad. Ahora, explíqueles que, en gran parte del mundo desarrollado, las personas pobres, en su mayor parte mujeres y niñas, tienen que recorrer andando una media diaria de 6 km para ir a por agua, llevando unos 20 litros (2 cubos llenos) a la vez. Déjeles que intenten llevar los dos cubos de agua por la clase o, mejor, en el exterior.

¿Por qué gastamos tanta agua? Diga a los niños que redacten una lista de todas las cosas para las que la necesitan durante el día. Asegúrese de que no olvidan ninguna de las que contienen agua, como los refrescos, y el agua que utilizan otras personas para ellos, como preparar sus alimentos, lavar su ropa, imprimir periódicos y revistas, centrales eléctricas, lavado del coche familiar.

Esto puede trasladarse a una tabla como las dos que aparecen a continuación. ¿Cuánta agua se utiliza y para qué?

Lavadora (una carga)	200 litros
Baño	75 litros
Ducha	25 litros
Cisterna del inodoro	20 litros
Lavarse los dientes	?
Lavavajillas	?
Beber	?
Cocinar	?
Regar las plantas	?
??	
??	

El objetivo consiste en hacer pensar a los alumnos en cómo pueden utilizar menos agua, pero algunos querrán saber qué importancia tiene esto, porque en Gran Bretaña tenemos agua a raudales y se está reciclando constantemente. Es una buena pregunta.

El punto clave que hay que señalar al responder es que el agua cuesta dinero y tiempo de las personas: recogerla, limpiarla, transportarla, medirla, eliminarla y reprocesarla, impedir las inundaciones y mucho más. Cuanta más agua utilicemos, más cuesta.

¿Cuánta agua utiliza la gente en otros países?

Este gráfico muestra cuánta agua se utiliza por persona y año, en metros cúbicos (m^3).

(1 m^3 = 1.000 litros: igual que llenar el depósito de un coche 20 veces o unos 100 cubos llenos).

Ponga estas cantidades en forma de gráfico:

País	Uso de agua por persona y año (m^3)
Congo	20
Tanzania	40
Botsuana	83
Reino Unido	160
Irlanda	326
Rusia	520
Malasia	630
Pakistán	1260
Estados Unidos	1844
Iraq	2368

Unos países necesitan cien veces más agua que otros. El Reino Unido emplea relativamente poca, pero los que disponen de menos cantidad son los países pobres. ¿Pueden explicar los alumnos estas enormes diferencias? Por ejemplo, la mayor parte del agua se usa para el riego, la agricultura y la industria. Los pueblos pobres tienen menos tecnología (tuberías, pozos, grifos, depósitos), por lo que transportar más a mano y, en consecuencia, utilizan menos.

Agua limpia y saneamiento

El enunciado siguiente sorprenderá a los niños:

El agua que bebe una persona en Londres ha pasado ya por siete estómagos.

El agua se coge de ríos y depósitos, se purifica y conduce hasta su grifo; después, las aguas residuales vuelven a la planta de tratamiento, al río y el ciclo comienza de nuevo. Las personas que viven río arriba, en el valle del

Támesis, en Oxford, Henley, Reading, Maidenhead y Richmond, pueden haber "utilizado" ya la misma agua. Los alumnos querrán hablar sobre esta extraña idea.

Y ahí va un "*¿qué pasaría si...?*" para que piensen sobre ello:

¿Qué pasaría si las personas que están en Londres sólo tuviesen acceso al agua que llega directamente por el Támesis y no estuviese purificada?

Charles DICKENS describe a menudo el estado del Támesis a su paso por Londres, con cadáveres y otros objetos innombrables flotando en él. Por ejemplo, en *Nuestro común amigo*, un personaje vive de recuperar y vender cadáveres del río. En la actualidad, el Támesis está mucho más limpio, pero, por desgracia, ésa es la situación en la que todavía están más de un billón de habitantes en todo el mundo. Yo he visto en India a personas que, para cocinar, cogen agua estancada de acequias y ríos en donde las aguas residuales se vierten unos metros más arriba.

¿Puede caber en la cabeza de alumnos o maestros lo que supone un billón? Es varias veces la población de Europa. ¿Qué les ocurre a estas personas? Padecen enfermedades relacionadas con el agua, como diarrea, cólera, disentería, tifus, esquistosomiasis y tracoma, la principal causa de la ceguera evitable. Los niños saben lo que es la diarrea; la disentería es mucho peor: consume la energía del paciente y su capacidad de trabajar y de cultivar alimentos. Si los niños están mal alimentados, es mayor la probabilidad de que enfermen, por lo que el ciclo continúa. Sólo el tifus mata a casi un millón de personas cada año; sin embargo, en occidente no se suele hablar de él, porque bebemos agua limpia.

Nosotros y nuestros alumnos damos por supuesto que el agua de nuestros grifos está limpia y que los aparatos sanitarios impiden la contaminación del abastecimiento de agua. Los escolares pueden quejarse de los servicios de la escuela, como hacen muchos, según una encuesta reciente, pero pertenecen a la minoría afortunada del mundo. ¿Cómo subsistirían sin servicios higiénicos?

Más de un billón de personas no tienen agua potable, y más de dos billones carecen de servicios higiénicos. La ONU quiere reducir estas cantidades en un 50% en 2015, más o menos cuando los que hoy son alumnos de primaria estén licenciándose, comenzando a trabajar y, quizá, estrenando su casa y su familia. La ONU estima que el objetivo del agua potable costará 8,9 billones de euros y que el cumplimiento del objetivo de saneamiento supondrá otros 16,25 billones de euros. ¿Mucho dinero? Mucho menos que el coste de la reciente guerra de Iraq.

No todos los países apoyan estos importantes objetivos de la ONU. Los Estados Unidos siguen bloqueando el objetivo del saneamiento y, en la actualidad, sólo el 5% del total de la ayuda mundial a los países pobres se utiliza en el agua y en el saneamiento. Sin embargo, una bomba manual sólo cuesta unos 665 euros y un aljibe que facilite agua potable puede instalarse por sólo 2.200 euros.

¿Dónde está toda el agua?

Solemos pensar que toda nuestra agua está en los ríos y en los lagos, pero sólo una pequeña fracción del agua de la tierra es dulce y quizá algún día tengamos acceso a otro enorme depósito de agua —en la Luna— que podría contener hasta 6.000 millones de toneladas de hielo, pero la mayor parte de nuestra agua dulce está bajo tierra y alguna permanece atrapada en los casquetes polares. Casi toda el agua de la tierra está en los océanos y esta agua salada contiene muchas sustancias químicas disueltas, como el cloruro sódico, el bromo y el magnesio. El agua marina puede purificarse para hacerla potable, pero este procedimiento sigue siendo muy caro, porque necesita enormes cantidades de energía para su evaporación. No obstante, esto se utiliza en lugares como Oriente Medio, donde el agua es escasa y la energía, barata. El diagrama muestra cómo se produce la purificación.

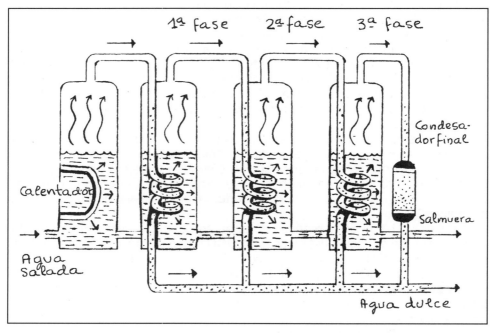

Diagrama de una planta de destilación de efecto múltiple (Unilever, pág. 52).

A causa de las sustancias químicas que contiene, el agua marina no puede utilizarse para el riego, pues no sólo mataría las plantas, sino que también contaminaría las aguas subterráneas, convirtiéndolas en no potables. Con tan poca agua dulce disponible y la creciente demanda, tenemos que estar cada vez más alerta ante los procedimientos para reducir su consumo y para mantenerla sin contaminar.

Contaminación del agua

La mayoría de los niños tiene idea de este tema. Es probable que puedan mencionar muchas de las causas que producen la contaminación, como los vertidos químicos, los abonos, los residuos industriales, los detergentes, etc. Usted puede mostrarles una planta de tratamiento de agua o de tratamiento de aguas residuales, para ver cómo ésta se mantiene apta para el uso. He aquí otro dato estadístico que puede influir:

Una población de unos 25.000 habitantes produce a diario 5 millones de litros (medio millón de cubos llenos) de aguas residuales.

Alguien tiene que ocuparse de esto. Los principales tipos de contaminación del agua son:

- *Sólidos en suspensión* (por ej., de la fabricación de papel, del alcantarillado, de canteras): Éstas son las cosas que hacen que el agua esté turbia y deba filtrarse antes de que esté lista para su uso. Otros ejemplos de sólidos en suspensión pueden ayudar a los alumnos a comprender el concepto. La leche es un buen ejemplo de suspensión.
- *Sustancias tóxicas:* petróleo, sal, pesticidas, productos químicos industriales. Las toxinas son sustancias peligrosas para los seres vivos. Plantean los mayores problemas, pues a menudo están disueltas (por lo que no pueden filtrarse), pueden matar rápidamente la fauna y la flora y su eliminación es la más difícil y costosa.
- *Nutrientes:* "alimentos" de las plantas, como los abonos, que estimulan el crecimiento de las algas. A menudo, las algas crecen en la superficie; las descomponen microorganismos que utilizan grandes cantidades de oxígeno del agua, privando de él a los peces y a otras especies acuáticas.
- *Calor:* de las centrales eléctricas. El agua caliente disuelve menos oxígeno que el agua fría, razón por la que muchos peces prefieren el agua salada del mar. A todos los organismos les resulta más difícil vivir en agua caliente.

¿Cómo responde la industria a la contaminación? Hay cuatro formas principales:

- *Inacción:* en algunos casos, no hace nada. Deja que ésta se produzca, esperando que alguien la elimine. Por fortuna, la legislación ha logrado reducir esto en el Reino Unido, aunque no en todos los países.
- *Reparación:* remediar la contaminación causada, aunque, a menudo, esto llega demasiado tarde, y pueden haber muerto todos los peces y mariscos.
- *Tecnología de limpieza:* que supone tratar las aguas residuales antes de devolverlas a los ríos. Las plantas químicas tienen que hacerlo, pues la contaminación que producirían podría ser desastrosa.

- *Tecnología limpia:* las industrias utilizan, ante todo, procesos que no contaminan. Por ejemplo, el uso de energía renovable es más limpia que la de las centrales eléctricas habituales.

> Pida a los alumnos que comenten cuál de ellas es mejor, y también qué significa la idea de que "quien contamina paga" y cómo se puede hacer que funcione.

Puede leer más cosas acerca de la idea de "quien contamina paga" en: www.planetark.org/dailynewsstory.cfm?newsid=18573. Comenta casos como el del peor desastre ecológico de España, el accidente de Doñana, cuando **se rompió la presa de la balsa de decantación de una mina de pirita**, inundando la zona limítrofe con sustancias químicas tóxicas y causando graves daños a la fauna y la flora del cercano parque nacional. Pregunte a los alumnos:

¿Es justo que haya que pagar con dinero público los daños causados por actividades de las que obtienen beneficios las empresas?

Para mantener en equilibrio nuestro ecosistema global, durante millones de años, los animales han dejado sus desperdicios (orina y heces) más o menos en el mismo lugar del que proviene su sustento, por lo que podían absorberlos las plantas para producir más alimentos. Sin embargo, nuestras comunidades, cada vez más urbanizadas, no hacen esto: extraemos los sedimentos de contaminantes en plantas de tratamiento de aguas residuales y, por tanto, tenemos que fertilizar la tierra de forma artificial. Un modo de evitar esto es la agricultura orgánica: en vez de usar productos químicos artificiales, los residuos pueden reutilizarse como abono.

Las guerras por el agua

Cuando el agua se privatizó por primera vez en el Reino Unido, en la década de 1990, muchas personas se opusieron basándose en que el agua no podía ser propiedad de nadie, pues pertenece a todo el mundo. Sin embargo, en el Reino Unido, el agua sí es "propiedad" de alguien, sobre todo de compañías multinacionales extranjeras. En consecuencia, es probable que surjan disputas. Esto ya está empezando a ocurrir en algunas partes del mundo. Es lo opuesto a la coparticipación y provoca escenarios del tipo de *"¿Qué pasa si...?"*: ¿Qué pasa si tu país no tiene un suministro suficiente de agua potable o éste es poco fiable, como en Etiopía y algunos otros estados africanos? ¿Qué pasa si un país vecino tiene agua suficiente y puede suministrarla al tuyo mediante embalses, tuberías, etc.? ¿Qué pasa si tu país se enfrenta con el vecino y éste se niega a suministraros agua?

Los alumnos y alumnas pueden intentar predecir en qué partes del mundo es más probable que estallen "guerras por el agua" en el futuro. ¿Qué países están creciendo con más rapidez? ¿Cuáles poseen menos fuentes naturales de agua? ¿Cuáles tienen más necesidades? ¿Qué países están en guerra con sus vecinos? He aquí el ejemplo de una noticia reciente: puedes leerla en la página web de *Planetark:* www.planetark.org/dailynewsstory. cfm?newsid=21731.

Una buena simulación para los alumnos puede basarse en el ejemplo del río Éufrates, que nace en Turquía y pasa por Siria, Iraq e Irán, antes de desembocar en el Golfo Pérsico. Haga un mapa sencillo (o mire el suplemento "Water" de *The Guardian* del 23 de agosto de 2003) que ofrece breve información general. Los grandes embalses de Turquía y Siria están reduciendo el suministro de agua a los países que están más al sur.

Divida la clase en dos grupos. En cada uno, los alumnos desempeñan diversos roles, como el de primer ministro, constructores de los embalses (ingenieros civiles), ingeniero jefe de aguas, industriales, agricultores, soldados, jefe religioso. En su mayoría son hombres, por lo que debe asegurarse de que las niñas representen los intereses de las mujeres. Cada grupo defiende su postura. ¿Por qué necesitamos el agua? ¿Cuál es el problema? ¿Quién lo provoca? ¿Qué queremos que hagan? ¿Qué haremos nosotros a cambio? ¿Cómo podemos asegurarnos de que se hará esto? ¿Cómo haremos escuchar nuestra voz?

Los beneficios sociales del agua

No obstante, el agua produce unos enormes beneficios sociales de los que todos nos aprovechamos. Tenemos que celebrarlos y protegerlos. El agua es importante para muchas actividades de ocio, como navegar en barco, nadar, bucear, navegar en canoa y practicar deportes de tabla, como el surf. Los niños de la foto de la página siguiente viven en Botsuana, uno de los países más secos de África, y están dándose un baño después de la escuela en el río Okavango, en una zona remota del país.

LOS PALESTINOS SUFREN MÁS SED BAJO LA REPRESIÓN ISRAELÍ

5 de agosto de 2003
AL-DHAHRIYEH. La familia Jabirat aplaza darse un baño hasta la llegada del siguiente tanque, para rellenar su depósito en el reseco territorio palestino sometido al bloqueo israelí.

El conductor del tanque tiene que arrastrar una manguera a través de un túnel bajo una autopista reservada al tráfico israelí para acceder a su depósito, al otro lado, dando después largos rodeos por atroces carreteras secundarias hasta llegar a casas como la de los Jabirat.

(Continúa)

Los palestinos, sobre todo en el árido sur de Cisjordania, racionan y actúan improvisadamente para compensar las restricciones de agua agravadas por el cierre de su zona, impuesto por Israel tras las explosiones de bombas llevadas por suicidas.

Las arduas y enrevesadas rutas aumentan los precios para unas personas ya empobrecidas por el cierre de esta área, lo cual, junto con la pertinaz sequía, ha puesto de relieve la desigual contienda por el control del agua que ocupa un lugar central en el conflicto de Oriente Medio.

Israel recoge el 80% del acuífero de montaña de Cisjordania, una de las dos principales fuentes renovables de agua del territorio que ocupó en la guerra de 1967.

La otra fuente, el río Jordán, que separa Cisjordania de Jordania, está dominada por Israel, para las cercanas granjas judías...

Si los alumnos se ponen en el lugar de la familia Jabirat, ¿cómo se sentirían? ¿Qué harían? ¿Cómo llamarían la atención sobre su difícil situación?

Niños bañándose en el río Okavango (facilitada al autor).

El agua es fría y limpia, pero, por desgracia, contiene también caracoles que transmiten el parásito esquistosoma, que produce una peligrosa enfermedad. La mayoría de los niños los soporta, pero no deja de bañarse, porque no tiene otra opción: hace calor y la piscina más cercana está a cientos de kilómetros de distancia. A los niños les gusta el agua en todas partes, por lo que es importante por partida doble mantenerla limpia. En el Reino Unido,

Surfers Against Sewage (SAS) ha realizado una campaña durante varios años para impedir que las aguas residuales se viertan al mar cerca de las playas y ha tenido una influencia espectacular en lo que se permite que hagan las administraciones relacionadas con el agua. Gracias al SAS, muchas playas han vuelto a ser aptas para el baño.

Además de un medio de diversión, el agua continúa siendo una importante forma de comunicación y de transporte. En el Reino Unido, actualmente nuestros canales se utilizan sobre todo para la navegación de barcos de recreo y gabarras, pero a lo largo del Rin e, incluso, del Támesis, y en otras muchas partes del mundo, las vías acuáticas aún se utilizan para el transporte de enormes cantidades de carga. Los transbordadores siguen trasladando mercancías en gran escala entre el Reino Unido y Europa; el canal entre Dover y Calais es la vía de navegación más transitada del mundo. En consecuencia, siempre existe el riesgo de accidentes y vertidos de sustancias peligrosas. Los vertidos de petróleo han arruinado playas y matado fauna y flora de muchas partes del mundo. Estimule a los niños y niñas para que aprendan cosas sobre algunos de estos desastres o busquen información en Internet sobre las organizaciones que cuidan focas y aves afectadas por los vertidos de petróleo. Hay reservas de focas en Cornualles, Norfolk y Escocia. Puede descubrir más cosas sobre ellas en: www.sealsanctuary.co.uk.

Colaboración, agua y ecoalfabetización

Para concluir este capítulo, reunamos las ideas clave. La ecoalfabetización pretende dar a conocer cómo operan las redes: cómo el hecho de tirar de unas cuerdas en un lugar influye en las cosas que ocurran en todos los demás sitios. En la red del agua estamos implicados los consumidores (nosotros), las empresas suministradoras de agua (grandes empresas), los agricultores, los ecologistas (como el SAS), las industrias que utilizan agua, las personas que viven cerca de ella, el gobierno y todos los animales y plantas que viven y dependen del agua. El aumento de la contaminación en un lugar puede influir en otros muchos. La financiación insuficiente del tratamiento del agua afecta a todo el mundo. La extracción excesiva de agua en un lugar supone una reducción del nivel en otra parte. La contaminación de la atmósfera con demasiado dióxido de carbono puede acabar causando inundaciones y elevando el nivel del mar. Las islas del Pacífico y Bangladesh podrían desaparecer. Los alumnos pueden hablar y reflexionar sobre estas conexiones de la red de la vida y buscar información fiable en la que fundamentar sus ideas.

La colaboración supone trabajar juntos para impedir los desastres que hemos comentado. Como demuestra el SAS, todos podemos influir. Los niños de muchas zonas han recogido pruebas de los ríos que discurren por sus poblaciones, y del suministro de agua que han resultado valiosas a la hora de influir en la forma de actuar de los agricultores y las empresas del agua. Con frecuencia, la publicidad es un elemento clave a este respecto, y los niños son unos publicistas excelentes sobre los problemas ambientales. Les preocupa la justicia y comprenden las cuestiones éticas que comentamos en el capítulo anterior. A menudo, si se les escucha, seguirán participando en las organizaciones ecologistas o en sus comunidades. Tirarán de las cuerdas de las redes políticas locales de un modo que otros no pueden. Los maestros y los padres no pueden ignorarlos, tratarlos como si fuesen tontos, imaginar que no entienden o reírse de lo que dicen. En el Reino Unido, al principio de la guerra de Iraq, a veces castigaron después de clase a niños que habían faltado a la escuela para manifestarse, con buen criterio y convicción, contra la guerra. En la medida en que los maestros repriman a los alumnos de ese modo, los libros como éste serán una pérdida de tiempo. Como observa Michael ROTH (2003), educador medioambiental canadiense:

> En vez de preparar a los estudiantes para vivir en un mundo tecnológico, yo trabajo con los maestros para crear oportunidades de participar en este mundo y para aprender ciencias en el proceso de contribuir a la vida cotidiana de la comunidad... la participación precoz en prácticas importantes para la comunidad promueve la participación continua y una mayor relevancia de la escuela en la vida cotidiana de sus principales integrantes.

No todo el mundo tiene que saber las mismas cosas ni ser competente en campos idénticos, sobre las mismas cuestiones. Lo que importa es que, en colaboración, produzcamos los conocimientos y acciones relevantes para los problemas inmediatos.

CAPÍTULO X

Ecodiseño

En los últimos años, han proliferado los programas de TV dedicados al diseño: *Changing Rooms, Ground Force, Grand Designs* y otros muchos. El tema que los une es el rediseño de nuestro entorno para mejorarlo, aunque no siempre queda claro el significado de "mejorarlo". Por eso, un buen punto de partida sería hacer que su alumnado reflexionara sobre *mejorar cosas* y su significado. Por ejemplo:

> ¿En qué puede consistir una bicicleta mejor, una comida mejor empaquetada, un uniforme escolar mejor, una cocina mejor, unos servicios mejores en la escuela, unos coches mejores; incluso, una escuela mejor?

Los alumnos y alumnas pueden pensar también en *hacer más fácil el trabajo*. Realice una tormenta de ideas sobre los tipos de trabajo que hacen ellos y sus padres; pídales después que señalen cómo podría ejecutarse éste de manera que utilizara menos energía. Por ejemplo, para secar la ropa, se precisa menos energía si se tiende que si se mete en la secadora. Se emplea menos energía andando o yendo en bicicleta que utilizando el coche. En la actualidad, algunas escuelas usan un "autobús virtual", que recoge a los niños en las paradas del autobús y los lleva andando a la escuela.

Un nuevo libro de BURKE y GROSVERNOR (2003) recoge los puntos de vista de los niños sobre "la escuela que me gusta" y presenta algunas ideas muy interesantes. Por tanto, los alumnos pueden ser creativos con respecto al rediseño de las cosas. La cuestión es: ¿sus diseños tienen en cuenta los principios ecológicos que comentamos en los capítulos anteriores? Dejemos que traten primero de reflexionar sobre el diseño de algo sencillo, antes de considerar cosas más complejas como sus hogares.

> Un buen ejemplo sería algo que utilizaran con regularidad, pero que pudiera ser poco eficiente, como una tetera, un aparato sanitario, una mochila escolar, un teléfono móvil.

- ¿De qué está hecho y dónde?
- ¿Cuánta energía se utiliza para fabricarlo?
- ¿Cómo se podría hacer o distribuir de manera que fuese más barato?
- ¿En qué sentido es poco eficiente?

Y lo más importante, quizá:

- ¿De verdad lo necesito? ¿Qué podría utilizar en vez de esto?

El ecodiseño no sólo tiene que ver con objetos como las máquinas y las casas, sino también con nuestras prácticas sociales. Por ejemplo, ¿con qué frecuencia utilizamos nuestros coches? y ¿todos nuestros viajes en coche son necesarios? ¿Qué hacemos en nuestro tiempo libre y qué costes ambientales tienen la música, la ropa, ir a clubes, volar a otros países de vacaciones? ¿Dónde pondrían los alumnos las líneas de demarcación entre la necesidad, la preferencia y el lujo? Es posible que conozcan las 3 R: reducir, reutilizar, reciclar, pero no presten mucha atención a la primera de ellas. Rediseñar también puede significar encontrar la forma de hacer prescindiendo de algo.

Tras relacionar estas cuestiones con un objeto familiar, los alumnos deben estar dispuestos a aplicar los seis principios de la ecoalfabetización que comentamos al principio de este libro:

Redes:	Todos los sistemas vivos están interconectados. Lo que hacemos influye en los demás.
Ciclos:	Los ecosistemas que sobreviven no producen desperdicios netos. Los desechos de un proceso son alimentos para otros procesos (la agricultura biodinámica es un buen ejemplo de esto).
Energía solar:	Toda nuestra energía proviene, a fin de cuentas, del sol. La fotosíntesis impulsa todos los procesos de la vida.
Colaboración:	Tenemos que cooperar en el diseño de objetos que operen en beneficio de todos nosotros.
Diversidad:	Los ecosistemas mantienen su fortaleza gracias a su riqueza y su diversidad. Más diversidad significa mayor resistencia a los ataques.
Equilibrio:	Los bucles de retroinformación ayudan a restaurar el equilibrio. No podemos tomar muchas cosas de un sistema (por ej., peces del mar) sin desequilibrarlo y ponerlo en peligro.

El ecodiseño debe garantizar que cuanto realicemos concuerde con estos principios. No tiene tanto que ver con lo que podamos tomar de la naturaleza como con lo que podamos aprender de ésta para garantizar la sostenibilidad.

Por ejemplo, en la actualidad, hay un problema con respecto al exceso de capturas de especies como el bacalao y el abadejo en los mares que rodean Europa. Las cuotas estrictas han obligado también a los pescadores a arrojar al mar peces muertos por haberlos capturado en exceso. Un diseño que podría resolver esto es un sistema de piscifactorías a gran profundidad, basadas en jaulas como éstas:

¿Tiene en cuenta esto los seis principios? ¿Cuál será su impacto en el lecho marino, en las actividades de la pesca de arrastre de lugares como Cornualles y las islas Shetland o en otras especies? No hace mucho que los nuevos métodos de crianza del salmón en piscifactorías o de pesca de arrastre de la lubina han creado problemas de enfermedades y muerte a otras especies, problemas que no se habían previsto.

El *reciclado* es una forma de hacer que los diseños sean ecológicamente sostenibles. Algunas grandes empresas han introducido sistemas de reciclado de la mayoría de los materiales que utilizan. Por ejemplo, Canon ha rediseñado sus copiadoras para que pueda reciclarse el 90% de sus componentes. Fiat Auto ha creado 300 centros de desguace en los que recicla acero, plásticos, vidrio, relleno de asientos y otros muchos componentes de sus coches viejos; en 2010 reciclará el 95%.

El objetivo es hacer más con menos, mediante un buen diseño. El Programa Medioambiental de las Naciones Unidas (UNEP, según sus iniciales en inglés) ha lanzado sus "Factor Ten Goals"*, así llamados porque se estima que los países desarrollados como el nuestro, usando las tecnologías existentes, podrían reducir el uso de materias primas en un factor de 10, mediante la reutilización y el reciclado.

Casas y edificios

Ésta es una de las áreas en las que puede ser más eficaz el ahorro de energía y materiales.

Los alumnos pueden pensar en que podrían hacer para obtener ese ahorro en la construcción de su casa o de la escuela, de manera que se redujesen la energía y los materiales, por ejemplo, en cuanto a su forma y orientación; los elementos de construcción utilizados; las ventanas; la iluminación y la calefacción, y el aislamiento. Una casa puede diseñarse de manera óptima si ocupa la orientación adecuada para aprovechar al máximo el sol y quedar al abrigo del viento. El uso de energía puede reducirse así en torno a un 30%.

---

* "Objetivos del Factor Diez". *(N. del T.)*

En la fabricación de los ladrillos y el cemento se invierte gran cantidad de energía: la fabricación de cemento es una de las mayores productoras de dióxido de carbono del planeta. A diferencia de la piedra, la madera es barata y renovable. La madera reciclada puede utilizarse en la mayor parte de los ambientes de la casa. Las casas construidas con balas de paja también están popularizándose, pero el mayor incremento de viviendas inocuas para el medio ambiente corresponde a las prefabricadas de estructura de madera. Las vigas de madera laminada permiten construir mayores habitaciones. Puede informarse acerca de la construcción de casas de madera en: www.wood forgood.com y en www.buildstore.co.uk, y solicitar información en: info@segal selfbuild.co.uk.

Las ventanas provocan las mayores pérdidas de calor de un edificio de noche y en invierno. En la actualidad, hay tipos especiales de vidrio (los vidrios de baja emisividad) que no dejan pasar el calor, pero sí la luz; también puede utilizarse el doble y el triple acristalamiento con cámara de aire para reducir el ruido y la pérdida de calor.

Los sistemas modernos que utilizan lámparas de bajo consumo pueden ahorrar hasta un 90% del coste de la electricidad. Los paneles fotovoltaicos situados en el tejado y en las paredes pueden generar suficiente energía para el consumo de la casa.

De todas las características de diseño de una casa, el máximo ahorro de energía corresponde al aislamiento correcto. Cuando el aire se confina en áreas pequeñas, es un aislante excelente. Éste es el principio de la camiseta de malla. La mayoría de los tipos de aislamiento operan encerrando aire en un tejido ligero. Cuando más grueso es el aislamiento, mejor funciona. En la actualidad, se utilizan poliestireno, paja, papel de periódico, lana de roca e, incluso, lana de oveja. La lana se ha utilizado para mantener el calor humano durante muchos siglos. Ahora, algunos ganaderos crían ovejas con el único fin de producir lana para aislamiento de los edificios. Más adelante se describen las actividades relativas al aislamiento.

El trabajo que supone la construcción de una casa también es renovable, por lo que la mejor manera de actuar es utilizar a constructores y proveedores locales, establecer acuerdos de colaboración y promover la industria local. Un buen ejemplo es el *Eden Project*, de Cornualles. Todas las cosas que se utilizan se adquieren allí, excepto una (la película fotográfica), lo que beneficia a la economía local y mantiene puestos de trabajo, con más de 150 millones de euros anuales. Esta labor social supone que la comunidad se implique para desarrollar un negocio que beneficia a todo el mundo.

Aunque no estemos construyendo una nueva casa o escuela, pueden conseguirse enormes mejoras y ahorros si reacondicionamos las casas existentes tal y como hemos señalado. Esto no sólo sirve para ahorrar dinero, sino que ayuda también a minimizar el uso de energía y a conservar el medio ambiente.

Imagine que su casa o escuela es como un árbol: debe purificar el aire que entra en ella, utilizar el calor y la luz solares, producir más energía de la que consume, crear sombra y un buen hábitat para las personas y las plantas, enriquecer y no agotar el suelo que la rodea y cambiar de acuerdo con las estaciones. Los edificios pueden hacerlo, luego, ¿cómo puede cambiar el suyo para hacer que funcione de forma más parecida a la del árbol?

Nuestra forma de vivir

La vivienda sostenible no sólo depende del diseño, sino también de nuestra forma de habitarla. Hoy día hay más personas que optan por vivir solas, sin hijos, por lo que hacen falta casas más pequeñas. Aumenta el número de las que quieren tener una segunda vivienda en el campo; en algunas zonas de Devon, Cornualles y el Lake District, alrededor de la mitad de las casas son segundas viviendas, habitadas sólo los fines de semana y durante las vacaciones. Esto influye en la sostenibilidad de las tiendas, las oficinas de correos, los garajes, los quioscos de prensa y golosinas y otros pequeños negocios. Las personas que tienen pocos ingresos no pueden permitirse comprar casas en sus propios pueblos, lo que crea malestar social y provoca más emigración de las zonas rurales. El transporte público local se resiente, pues quienes van los fines de semana utilizan sus propios vehículos.

Éste es un buen tema para que niños y niñas lo estudien en profundidad. Encárgueles la tarea de diseñar casas pequeñas, adecuadas para personas con pocos ingresos. Pueden averiguar los sistemas de construcción más baratos y de menor consumo energético, y cuestiones como las calificaciones de terrenos urbanizables y su precio. Por ejemplo, resulta más caro nivelar los terrenos inclinados para hacer los cimientos, por lo que, normalmente, son más baratos que los llanos. Sin embargo, las casas construidas mediante el sistema de poste y viga* se edifican con la misma facilidad en un terreno inclinado, con lo que se ahorra dinero. También pueden hacer encuestas sencillas a personas de la localidad respecto al tipo de casa que prefieren.

Actividades relacionadas con el aislamiento y la ventilación

Las pruebas efectuadas sobre materiales aislantes facilitan el aprendizaje de muchas destrezas valiosas en el área de las ciencias. El uso de equipos que cuenten con sensores y de recogida de datos mejora el resultado de esas actividades. Una forma sencilla de determinar la eficacia consiste en preparar unos recipientes de agua caliente, dejando un extremo abierto a los elementos y aislando los demás con distintos materiales.

---

* Sistema de construcción de madera que, como su propio nombre indica, se basa en introducir postes en el suelo y enlazarlos mediante vigas, configurando la estructura del edificio. *(N. del T.)*

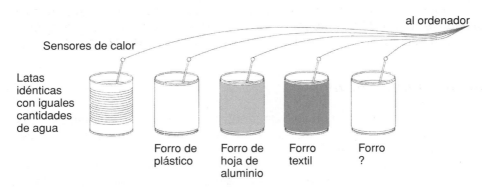

Dibujo de la preparación de los tests de aislamiento.

La primera prueba utiliza el mismo espesor de distintos materiales aislantes, como lana de roca, papel de periódico triturado, paja, lana de oveja. Pueden adquirirse muestras de todos estos materiales acudiendo a los proveedores de materiales de construcción. Los sensores indicarán la caída de temperatura según el aislamiento, demostrando qué material es mejor.

Una segunda prueba puede utilizar diferentes calibres del mismo aislante. Esto demostrará a los alumnos que el aumento de espesor ayuda a reducir la cantidad de calefacción necesaria en una casa. Pueden descubrir el aislamiento mediante cámara de aire, "paredes que respiran", doble acristalamiento y otras modalidades de ahorro de energía que utilizan los constructores.

La visita a un edificio en construcción puede ser difícil de organizar por motivos de salud y de seguridad, por lo que es más fácil invitar a un constructor para que venga a la escuela. La mayoría disponen de muestras para enseñar a los niños las técnicas de construcción. Los videoclips extraídos de series de TV como *Grand Designs* ilustran con precisión cómo se construyen casas para ahorrar energía. También es fácil que los profesores de construcción de algún centro de formación post-secundaria cercano a la escuela estén dispuestos a reunirse con los niños de clases de primaria.

Es muy posible que los niños no comprendan cómo se pierde el calor de una casa si están cerradas todas las puertas y ventanas. Una demostración sencilla consiste en introducir aire en la maqueta de una casa o en una casa de muñecas con una bomba de bicicleta. Los niños pueden apreciar por dónde sale el aire. Si se conecta la bomba con un balón de fútbol o un globo viejo y roto colocado en el interior de la casa, la operación resultará más sencilla. No pasará mucho tiempo hasta que los inspectores de construcción pongan a prueba todas las casas nuevas de este modo. Los niños verán pronto que el aire caliente escapa a través del tejado, por las ventanas y puertas, por los respiraderos y los suelos.

Sin embargo, no sería en absoluto saludable vivir en un edificio perfectamente sellado para impedir que se escapara el aire, y también sería malo para la casa, pues provocaría condensación de agua y humedad. Por eso es necesaria la ventilación.

Los alumnos pueden averiguar en sus casas por dónde entra el aire: todos los edificios deben tener ladrillos de ventilación, que deben estar abiertos. También pueden descubrir dónde hay extractores, qué ventanas se abren y cómo circula el aire por la casa, encendiendo velas con las puertas y ventanas abiertas y observando cómo se mueve el humo. ¿Podrían diseñar mejores ventanas? ¿Cuáles son mejores para la ventilación y el aislamiento?

Accesibilidad y seguridad

Los precios de la vivienda siguen subiendo en este país y la casa más barata no siempre es la mejor. También son importantes otros elementos, como un acceso fácil para personas mayores y discapacitadas, y seguridad, para impedir que entre quien no deba.

Una tormenta de ideas en clase sobre cómo se puede comprobar la seguridad y la accesibilidad de una casa daría como resultado un cuestionario de este tipo:

- ¿Puede entrar en la casa una persona en silla de ruedas por sus propios medios?
- ¿Puede acceder a la planta superior o ir al baño?
- ¿Qué tipo de cerraduras tiene?
- ¿Pueden bloquearse las ventanas?
- ¿Está bien iluminado el exterior?
- ¿Dispone de alarma?
- ¿Han robado antes en ella?

Después, pueden examinar la escuela y sus propias casas para ver qué puntuación obtienen.

El estudio de este problema da ocasión para relacionar los aspectos científicos y de diseño con las ideas cívicas relativas a la comunidad. Es poco probable que sobreviva nuestra comunidad si cada uno hace lo que le parece, como tirar basura a la calle, poner música a todo volumen por la noche, aparcar los coches bloqueando accesos, actuar de forma vandálica, pelearse y acosar a otros y, en general, comportarse de forma antisocial. A menudo, las comunidades se apoyan en la ley para regular la conducta antisocial, pero esto no siempre es muy realista cuando el policía más próximo está a muchos kilómetros de distancia.

Los alumnos pueden investigar lo que hacen organizaciones como *Neighbourhood Watch*, y quien represente a algún grupo local de este tipo puede ir a la escuela a hablar sobre ello. Los alumnos pueden preguntarle sobre la sostenibilidad de su trabajo: ¿quién participa en la red? ¿Quién la mantiene activa? ¿Cómo se facilita la información sobre los resultados? ¿Cómo están representados distintos puntos de vista para llegar a una conclusión equilibrada? ¿Sirve para algo?

Luego pueden examinar su escuela y sus propias casas para ver si obtienen una buena puntuación.

Vivir con nuestros vecinos

Los ecosistemas que tienen éxito son los que sobreviven. Esta idea es muy sencilla, pero no tanto a la hora de llevarla a la práctica. Para que un pueblo, una urbanización o una calle sobreviva, las personas tienen que relacionarse bien. ¿Qué necesitamos de nuestra comunidad para sobrevivir en armonía?

En esta consideración de las cuestiones de derechos humanos o derechos de los ciudadanos, es posible que los niños y niñas no comprendan lo afortunados que son en comparación con sus iguales de otros países. Dos buenos libros de referencia son: *Who Decides?* (PRICE, 2001), que tiene muchas actividades que relacionan el trabajo en la comunidad y el conflicto, y *Children as Citizens*, de HOLDEN y CLOUGH (1998). Ambos se centran en la reflexión de los niños sobre lo que significa ser un ciudadano activo.

Todas estas actividades están vinculadas con la pregunta que subyace a la totalidad del libro: *¿Quién decide?*

Por ejemplo:

- ¿Quién decide si vamos o no andando a la escuela?
- ¿Quién decide implantar carriles para bicicletas?
- ¿Quién decide cómo se diseñan nuestras clases?
- ¿Quién decide que tengamos contenedores para el reciclado?
- ¿Quién decide la ubicación de los contenedores de reciclado?
- ¿Quién decide dónde se construyen los edificios nuevos?
- ¿Quién decide el cierre de la oficina local de correos?

Ropa y moda

El ecodiseño puede relacionarse con el interés de niños y niñas por la moda. ¿Qué saben y qué creen los alumnos? Hágales preguntas de este tipo:

- ¿De qué está hecha tu ropa?
- ¿Qué prendas están confeccionadas con materiales naturales (por ej.: algodón, lana, lino, piel, cuero)?
- ¿Qué prendas se confeccionan con fibras artificiales (por ej.: nailon, lycra, poliéster, neopreno)?
- ¿De qué están hechas estas fibras artificiales? (productos petrolíferos).
- ¿Dónde se elabora tu ropa? (en su mayor parte, en países en vías de desarrollo).
- ¿Quién la hace? (en su mayor parte, mujeres y niños mal pagados).
- ¿Cuántas camisas/tops/chaquetas/zapatos tienes?

Una de las actividades utilizadas es la conocida técnica de los mapas mentales. Los alumnos crean un mapa mental en relación con ideas como "casa", "comunidad" o "conflicto", utilizando el color verde para las ideas positivas y el rojo para las negativas. También pueden hacer un "árbol de resultados" en relación con una de las ideas planteadas:

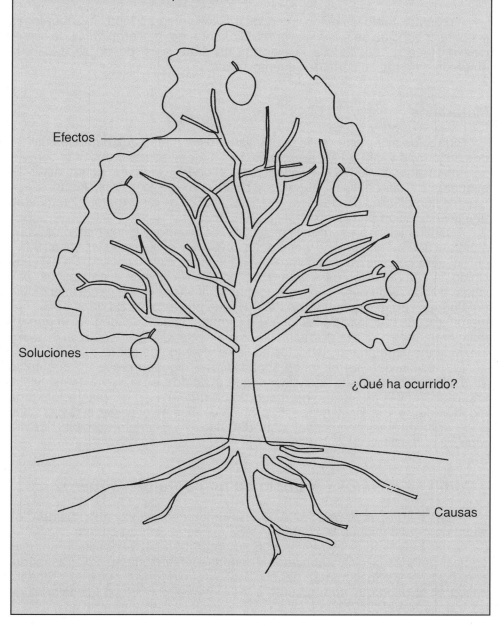

Efectos

Soluciones

¿Qué ha ocurrido?

Causas

- ¿Por qué compra la gente ropa nueva con tanta frecuencia? ¿Por qué cambia la moda?
- ¿Cuáles son las principales tiendas de ropa en las que compras?
- ¿Cuánto pedirías a tus padres para pagar un pantalón vaquero/un top/unos zapatos?

A menudo, tanto los niños como los adultos compran ropa sin saber todas las consecuencias de sus elecciones. Sin embargo, hay problemas de sostenibilidad que se derivan de la elección de materiales, dónde se hacen, la empresa a la que se compra y cuánto se paga.

Materiales

Pida a los niños que realicen una lista de los materiales naturales utilizados en la ropa y otra de los artificiales. Los materiales naturales más corrientes son el algodón, la lana, el lino, la piel y el cuero. Cada uno puede mirar las etiquetas de las camisas, zapatos y pantalones de los otros. Algunos elementos son difíciles de clasificar (como el *nubuck* de los zapatos) y requieren una investigación en la web.

A continuación, pregunte dónde y cómo se producen estos materiales. Los alumnos sabrán que la lana viene de las ovejas, y el cuero de las vacas y terneros, pero quizá no sepan cómo se producen las pieles y el lino. En el Reino Unido, la cría del visón para obtener sus pieles ha llevado a los visones "salvajes" a librarse de persecuciones, lo que ha afectado gravemente la ecología de algunas zonas, pues el visón destruye las poblaciones de otros pequeños mamíferos. La matanza de las focas en Canadá ha desencadenado importantes campañas en contra de sacrificar animales salvajes para obtener sus pieles. Muchos vegetarianos estrictos no llevan calzado de cuero.

Es posible que los alumnos sepan que el algodón crece en pequeños arbustos, pero no dónde se cultiva ni que el comercio de esclavos estuviese impulsado por la necesidad de mano de obra barata en las plantaciones de algodón de los Estados Unidos. El problema clave es el coste; si tuviésemos que pagar el precio comercial justo del algodón, ¿cuánto costaría nuestra ropa?

¿Cómo se desglosa el coste de un pantalón vaquero?

Antes de que un dependiente de una tienda de ropa vaya a hablarles, los alumnos deben estimar el coste de cada aspecto. Sabrán cuánto cuesta un pantalón; pídales que comenten cuánto creen que corresponde a materias primas, salarios de los trabajadores, energía, almacenamiento, transporte, beneficio de los mayoristas, beneficio de los minoristas. ¡Les sorprenderá descubrir lo poco que corresponde a las materias primas y a los salarios de los trabajadores!

El problema del algodón modificado genéticamente

Actualmente, el algodón, que interviene en la confección de la ropa vaquera, está siendo modificado genéticamente para hacer resistente la planta del algodón a los parásitos y las enfermedades. ¿Esto es bueno o malo? Como siempre, hay argumentos para todos los gustos. Un algodón más resistente significa unas cosechas más fiables y mayor rendimiento, con lo que los pequeños agricultores pueden producir más y vender más. Sin embargo, las semillas de algodón modificado genéticamente son producidas por compañías agroquímicas multinacionales, por lo que los pequeños agricultores dependen de las compras que hagan a aquéllas y son las grandes compañías quienes controlan el precio. Además, el aumento del rendimiento provoca un exceso de oferta en el mercado mundial, reduciendo el precio que reciban los cultivadores. Los grandes países resuelven esta situación mediante subvenciones a sus cultivadores, garantizándoles un precio mínimo y poniendo obstáculos contra el algodón de los cultivadores de los países más pobres, que pueden obtener un producto más barato. Por eso, los agricultores pobres del mundo en vías de desarrollo pierden sus mercados y no pueden vender su algodón.

Los alumnos pueden descubrir más aspectos de estas cuestiones navegando por la página web de *Planetark:* www.planetark.org *. Para comentar los problemas en un ejercicio de simulación, pueden adoptar los papeles siguientes:

> Fabricante de semillas de algodón modificado genéticamente (EE.UU.).
> Fabricante de ropa de Indonesia.
> Cultivador de algodón de India.
> Trabajador de una fábrica de ropa de Indonesia.
> Minorista de una calle importante (por ej., unos grandes almacenes).
> Cliente.

Cada uno de ellos puede adoptar una postura basada en lo que descubran en los distintos apartados de la página web. Cuando todos hayan planteado su postura, la clase puede decidir qué hacer y determinar el precio justo de un pantalón. Con sus nuevos conocimientos, pueden investigar los pantalones vaqueros en distintos grandes almacenes y tiendas, en relación con el precio, el lugar donde se ha fabricado, si la etiqueta indica que están confeccionados con algodón modificado genéticamente, etcétera.

En India, los científicos del país han creado una semilla de algodón, modificada genéticamente y pirata, con independencia de las multinacionales, que están vendiendo a precio más barato a los agricultores, que la prefieren. Esto también merece la pena comentarlo: ¿ayudará a largo plazo a los agricultores y de qué manera? ¿Conducirá a una industria del algodón más sostenible en India? ¿Quién se beneficia? ¿Qué harán las grandes compañías?

---

* O por las de las organizaciones no Gubernamentales que se dedican al comercio justo como www.intermonoxfam.org/page.asp?id=277. *(N. del R.)*

Cómo influyen las modas cambiantes en otros aspectos de la vida

La introducción generalizada del nailon y del rayón en la década de 1950 condujo a una revolución en el diseño y la fabricación de ropa, lo que, a su vez, afectó mucho a la industria textil del algodón en Gran Bretaña. La mayoría de las fábricas de tejidos de algodón de Lancashire se resintió a causa de la moda del nailon y de la importación de productos de "algodón indio", más barato, de India y Pakistán. Algunas siguieron fabricando tejidos de nailon y poliéster o dedicándose a tejidos y teñidos especializados, pero la mayoría cerró. En Lancashire y zonas como Bradford y Leicester, se registró una enorme afluencia de trabajadores procedentes del mundo en vías de desarrollo para trabajar en el comercio textil. Los actuales abuelos que trabajaron en telares o fábricas pueden ir a la escuela a hablar sobre esos cambios.

Con la inmigración, surgieron las actitudes racistas de algunas personas que consideraban que los inmigrantes les quitaban sus puestos de trabajo. La hostilidad residual todavía es evidente en las elecciones de concejales de las poblaciones textiles del norte, como Burnley, Blackburn y Halifax, y la prensa sensacionalista publica muchos artículos sobre los problemas raciales. No obstante, las razones de los conflictos entre comunidades son muy complejas y es preciso cuestionar los estereotipos que puedan tener los alumnos. La sostenibilidad de una industria también se ve afectada por razones sociales y políticas.

Sobre la delicada cuestión de los solicitantes de asilo, deben plantearse las preguntas correctas:

- ¿Por qué abandonan las personas su país, exponiéndose a graves peligros y gastos?
- ¿Por qué optan por venir a Gran Bretaña?
- ¿Qué dicen sobre esto los mismos solicitantes de asilo?
- ¿Cuál es la diferencia entre un solicitante de asilo y un emigrante económico?
- ¿Qué aptitudes tienen los inmigrantes recientes?
- ¿Debe permitírseles que trabajen?
- ¿Qué lecciones podemos aprender de la muerte de las personas que se ahogaron en Morecambe Bay*?

En muchas zonas de Gran Bretaña, hay una gran carencia de albañiles, fontaneros, recolectores de frutas y flores, enfermeros y maestros. ¿Por qué puede ocurrir esto y por qué no vamos a animar a los inmigrantes (por ej., de

---

* En febrero de 2004, más de 30 inmigrantes ilegales y solicitantes de asilo, en su mayoría chinos, mariscaban en Morecambe Bay, al norte de Inglaterra, cuando les sorprendió la rápida subida de la marea. Murieron 19 personas. Como tantos inmigrantes ilegales, eran explotados por bandas criminales, que se aprovechaban de su situación irregular. *(N. del T.)*

países como Polonia, que acaba de ingresar en la UE) a que realicen estos trabajos?

Por tanto, el debate abarca diversas cuestiones. Cuando los alumnos apliquen sus destrezas de ecoalfabetización al problema del diseño de moda, debe tener en cuenta las cuestiones de:

— *Colaboración:* ¿se trata con justicia a las personas o se las explota?
— *Redes:* ¿nos comunicamos y comentamos las cosas o damos (y da la industria de la moda) por supuesto que sabemos lo que es bueno para las personas?
— *Biodiversidad:* ¿el hecho de cultivar más algodón modificado genéticamente podría ser una amenaza para el cultivo natural?
— *El balance económico, social y ambiental:* ¿qué costaría nuestra ropa si todos los implicados en la industria de la confección tuvieran en cuenta los costes sociales y ambientales?
— *Ecodiseño responsable:* ¿compramos y pedimos ropa de empresas que tienen en cuenta todas estas circunstancias o no nos preocupamos de quién fabrica nuestra ropa, con tal de que sea barata?

Lecciones: El papel del "maestro político" en la promoción del ecodiseño

En *Education for the Future*, David HICKS (2002) escribe:

> Los pueblos celtas insistían en que sólo los poetas podían ser maestros. ¿Por qué? Creo que es porque el saber que no se transmite a través del corazón es peligroso; puede carecer de sabiduría...

Puede que parezca que las ideas de este capítulo son ambiciosas con respecto a los niños y niñas de primaria. Quizá no sea evidente su relevancia para las materias básicas y es posible que requieran mucho tiempo de clase. Estas preocupaciones encierran algo de verdad. En consecuencia, los maestros tienen que manifestar un valor y una sabiduría especiales para juzgar las cuestiones de la ecoalfabetización y el ecodiseño que deben plantear en clase. Desde luego, los niños aceptarán el reto. Verán su interés, disfrutarán con el trabajo y acogerán con gusto este enfoque.

Es más probable que la resistencia provenga de los padres y los colegas, porque abordar estos temas es hacer política. Las cuestiones que tienen que ver con quién decide, cuánto se paga a los trabajadores, qué algodón se utiliza, si la piel está de moda, son temas de poder y de recursos y todo lo que implica el poder y los recursos es político.

Incluso la cuestión del dinero que se gasta en la escuela es política, y tanto los alumnos como los maestros tienen ideas firmes al respecto. Pregúnteles sobre los aseos y las comidas de la escuela y se pondrá de manifiesto la dimensión política. Ser político forma parte del proceso de enseñanza y aprendizaje. Lo que temen los padres es que los maestros impongan a sus hijos los puntos de vista de algún partido político. Por eso, lo mejor es reconocer abiertamente el carácter político de lo que hacen, piensan y aprenden los alumnos, y distinguirlo claramente de los argumentos parlamentarios sobre los hospitales, la educación, etc.

La ecoalfabetización no tiene que ver con tomar partido, sino con comprender las consecuencias de nuestras acciones para otras personas en la red mundial de interdependencia. Cada vez que compramos una camiseta, tiramos basura al cubo, montamos en coche, compramos un CD, comemos una hamburguesa, hacemos una elección que tiene consecuencias para otros. El maestro puede enseñar de manera que haga que niños y niñas piensen en sus acciones. El hecho de que los alumnos vean cómo unos enormes camiones tiran *su* basura en un vertedero causa en ellos un impacto. Sostener el paquete de un kg de azúcar que representa el gas de invernadero de una sola escuela produce un impacto. Escuchar a un ganadero, a un trabajador de la confección, a un pescador o al gerente de unos grandes almacenes hablando de sus respectivos trabajos produce un impacto. Pensar, hablar y actuar sobre estas cuestiones es desarrollar la ecoalfabetización, y es una parte vital del currículum para el futuro de los alumnos.

CAPÍTULO XI

El trabajo ecoalfabetizador
en la escuela primaria

Este capítulo final trata de responder qué es lo que se deriva de muchas iniciativas aparentemente idealistas o radicales en la enseñanza: "es una gran idea, pero..." o "aquí no funcionará porque..." Espero que contribuya a que los lectores den el paso decisivo hacia la acción. ¿Puede hacerse realidad una buena idea en su escuela? Este capítulo evidencia cómo puede hacerlo.

Convenza a los demás

Lo más importante es que la directora o el director esté de su parte. Muy pocas iniciativas progresan sin su apoyo. Si ya simpatiza con la idea, sáltese este epígrafe. Si no, pruebe con algunas de estas sugerencias:

- Si Vd. está en prácticas y solicita su primer empleo o está pensando en transformar las escuelas, pregunte en la entrevista qué ideas tiene el centro sobre una dimensión ecológica del currículum. Puede señalar cosas que le gustaría hacer y calibrar la respuesta de la escuela. Siempre es más difícil tener éxito en una escuela que no comparta sus valores.
- Invite a algunas personas a que lleven a su escuela recursos y destrezas ecológicos para trabajar con los alumnos, preferentemente de forma gratuita. Muchas sociedades disponen en la actualidad de equipos que visitan escuelas, como el *Somerset Waste Action* o las sociedades *Wildlife*. Los niños valoran mucho sus conocimientos especializados y las oportunidades que ofrecen de publicidad y de relaciones en la comunidad sirven, con frecuencia, para convencer a los directores de que se está desarrollando algo interesante.

- Establecer una relación de colaboración con el centro universitario más cercano de formación inicial del profesorado. Esto puede abrir diversas puertas, por ejemplo, tener en prácticas a estudiantes especializados, entrar en contacto con otros maestros que tengan intereses similares e implantar actividades conjuntas escuela-universidad. El hecho de ser una escuela colaboradora da acceso a un amplio conjunto de ideas, materiales, maestros con ideas parecidas, especialistas y actividades para impulsar sus programas.
- Llevar a los alumnos a que participen en trabajos artísticos que destaquen de forma notable, en la línea de artistas como Andy GOLDSWORTHY y Chris DRURY.
- Involucrar a ciertos padres que tengan aptitudes y acceso a recursos o a lugares de interés medioambiental. Llévelos a trabajar con usted en sesiones de ciencias, arte, arte dramático, geografía o civismo.
- Utilizar los grupos locales de *Theatre in Education* (TiE), que ofrecen actividades de juegos de rol y de simulación sobre temas medioambientales, como la compañía *Stepping Stones* de la *Derby University*.
- Todos éstos son ejemplos de su pertenencia a distintas redes. La ecoalfabetización supone comprender cómo operan las redes, para poder descubrir qué teclas hay que pulsar para hacer avanzar las cosas. Sembrar la semilla de una idea nueva en la cabeza de otras personas puede tener ramificaciones que van mucho más allá de lo que pueda imaginar, pues es probable que formen parte de otras redes que le pueden ayudar. La idea de "seis grados de separación"* nos recuerda lo cerca que estamos de aparentes extraños.
- Utilice todas sus redes para crear y divulgar una muestra de trabajo ecoalfabetizador hecha por sus alumnos, para evidenciar la eficacia que puede alcanzar un cambio de acento.
- Tenga paciencia. Es mejor no espantar a quienes pueda necesitar como aliados. No corte sus líneas de suministro y no deje que le abandone su entusiasmo.

Busque un hueco en el horario para la ecoalfabetización

Esto puede parecer un obstáculo insuperable, pero hay muchas maneras de organizar el programa semanal de clase y muchas formas de cambiarlo. Primero, haga una lista de lo que le parezcan obstáculos que cambiar: ¿el

---

* La expresión "six degrees of separation" tiene su origen en un famoso trabajo de los sesenta de Stanley Milgram, en la Universidad de Harvard, donde por medio del envío de paquetes a personas desconocidas por medio de cadenas de conocidos se concluyó que se necesitaban entre 5 y 7 intermediarios para que el paquete llegara a su destino, naciendo la expresión "six degrees of separation" (seis grados de separación). O sea, que los estadounidenses se encontraban sólo a seis conocidos de distancia de cualquier otra persona en el país. Es la expresión equivalente a nuestro "el mundo es un pañuelo". (*N. del R.*)

director, los compañeros (¿todos o un par de ellos con mucho poder?), los padres, los recursos, el tiempo?

El cambio se refiere a la estrategia: ¿prefiere la revolución o la evolución? Quizá tenga la energía, la creatividad y el empuje necesarios para desarrollar una idea nueva que acabe con la antigua y la reemplace, o puede que usted sea del tipo cauteloso, que trabaja en segundo plano, persuadiendo poco a poco a las personas en las reuniones y demostrando el éxito del cambio en su clase. Analice la oposición y elabore una estrategia que pueda comunicar de manera clara y consistente.

Eso ayuda a tener a los niños de su parte. Algunas de sus clases de ciencias, arte, geografía, educación cívica o lectoescritura habrán llamado su atención y suscitado su apoyo a una forma distinta de organizar su trabajo. Esto cobra una fuerza especial, sobre todo si los alumnos se desenvuelven bien en las materias evaluadas a consecuencia de un interés y un entusiasmo renovados con respecto al aprendizaje. Hay pruebas que demuestran que, cuando los niños utilizan toda su competencia personal, en vez de limitarse a aprender de forma mecánica, aumenta su rendimiento en las competencias básicas. He presenciado esto al trabajar con un maestro de la Kenia rural que abandonó el currículum y organizó todo el trabajo de los niños en torno a la resolución de problemas a los que se enfrentaba la comunidad. En vez de clases formales de lengua o de matemáticas, su grupo se dedicó a estudiar la manera de abordar las enfermedades, el problema del tráfico en el mercado, la retención y recogida de pescado, la construcción de un molino de viento lo bastante grande para serrar tablones de madera, hacer muebles y muchas más cosas. Al acabar la educación primaria, sus alumnos obtuvieron las puntuaciones más altas del distrito en las pruebas de lenguaje, matemáticas y ciencias. ¿Por qué? Porque estaban comprometidos; se enfrentaban con los problemas cotidianos de su comunidad; hablaban, discutían y resolvían las cosas en colaboración, basándose en la pericia propia de su medio. Precisamente ésta es la mejor manera de que trabajen los niños y niñas para ecoalfabetizarse.

Cuando tenga a los alumnos de su parte y haya pruebas de eficacia y apoyo exterior en cuanto a recursos, se encontrará en una posición fuerte. Si va a tener pronto una inspección, anime a los inspectores a que vean e incluso que participen en su trabajo medioambiental. Los inspectores han elogiado con frecuencia a los maestros y las escuelas por el trabajo realizado en el medio ambiente y su forma de reforzar el entusiasmo de los niños y su desarrollo lectoescritor.

Presente una buena práctica curricular ante los compañeros

La siguiente cuestión que decidir es la flexibilidad que deban tener los horarios en su curso escolar. ¿Los demás maestros de su grupo de edad están dispuestos a trabajar de un modo semejante? ¿Seguirá teniendo que dedicar la mañana a la lectoescritura y la aritmética o podrá dedicar una jornada al trabajo medioambiental o a actividades fuera del aula? Si sólo tiene flexibilidad por las tardes, ¿qué se puede hacer? Si sus actuaciones innovadoras tienen éxito y popularidad, poco a poco podrá tener más libertad de acción para efectuar cambios mayores. Sondee a las personas. Necesita tener un mínimo del 40% de sus compañeros a su favor para que el cambio dure.

Currículum no es sinónimo de horario, se refiere a lo que queremos que experimenten los niños. Incluso con un marco rígido de enseñanza de asignaturas, lo que se efectúe en la lectoescritura o en otras materias puede manipularse para conseguir varios resultados. Por ejemplo, gran parte de la lectura, investigación, diálogo y generación de ideas sugerida en este libro puede realizarse en clases de lengua, centradas algunas de ellas en temas medioambientales. No se resta tiempo alguno a la literatura, el arte dramático y la poesía que abordan estos temas ante los niños. Por ejemplo, *The Stream*, de Brian CLARKE (2000), es una novela accesible sobre la contaminación y la conservación contempladas desde todos los puntos de vista. Desde John CLARE, los poetas se han ocupado de problemas medioambientales, como la destrucción de hábitats y el cercado de los terrenos comunes. Los poemas de CLARE pueden ser un punto de partida excelente para que los niños consideren el impacto de sus propias acciones, y su lectura no sólo tiene que ver con la lectoescritura. Los alumnos estarán aprendiendo distintos aspectos del tema en otras materias, sobre todo en ciencias, geografía y educación cívica. Piense en la ecoalfabetización como en una red que recoge muchos peces curriculares diferentes.

Ideas básicas claras

Cuando le pregunten: "¿Por qué la ecoalfabetización es la forma más eficaz de integrar el currículum?", debe tener una respuesta. Este libro puede haberle servido de ayuda, pero todavía tiene que hacerse una idea clara en relación con su escuela, su comunidad y su propia cosmovisión. Detesto la expresión "descripción de la misión", pero ayuda a poner por escrito exactamente lo que trata de hacer, de manera que pueda hablar de forma convincente siempre que le pidan realizar una defensa del cambio.

El juego de búsqueda de palabras que aparece a continuación le ayudará a Vd. a preparar esa idea y a sus alumnos a elaborar la suya. No es una sopa de letras convencional, pues las palabras ya están dadas. Se trata de articular *su* idea de cómo se conecta cualquier par de palabras.

La búsqueda de palabras se organiza en torno a los cuatro elementos de la vida: tierra, aire, fuego y agua. Las palabras escogidas se parecen superficialmente a alguna de ellas: unas son anagramas y otras, homófonas, pero tienen significados muy diferentes; así, por ejemplo, ¿cuál es la conexión entre "*earth*" y su anagrama "*heart*"? Las proposiciones e ideas que Vd. presente ayudarán a clarificar su filosofía de la ecoalfabetización. Su idea básica para centrarse en la ecoalfabetización debe tener una delimitación clara: por qué, cómo y qué se conseguirá.

Otro enfoque se desarrolla a través de un análisis VODA: hacer las listas de Virtudes, Oportunidades, Debilidades y Amenazas de su propuesta. Tiene razón en centrarse en sus virtudes y oportunidades, pero ha de prestar atención a las debilidades y a las amenazas, de manera que tenga una estrategia para afrontarlas. El análisis VODA cuyo inicio presentamos aquí puede continuarse.

Virtudes	Oportunidades	Debilidades	Amenazas
Mayor relevancia de mi enseñanza orientada a los problemas del "mundo real" para los niños y niñas del siglo XXI.	Establecer relaciones con organizaciones y centros medioambientales externos para trabajar fuera de la escuela	Quizá no muestre con claridad cómo se enseñan las materias fundamentales con arreglo a las normas	Oposición de los compañeros temerosos de que los resultados de las pruebas sean inferiores

Actúe con responsabilidad

Para convencer a los demás de que quiere hacer todo lo que pueda para crear un futuro sostenible para la vida en el planeta, tendrá que dar ejemplo. No está bien instalar en la escuela cubos para recogida de residuos orgáni-

cos y que tire el corazón de su manzana con su envoltura, ni venir del supermercado con una docena de bolsas de plástico, ni comprar alimentos orgánicos pero no papel reciclado. Es fácil caer en la incoherencia, admitiendo algunas prácticas insostenibles. No obstante, converse con los alumnos sobre el
modo de solucionar los problemas. Por ejemplo, a Vd. le vienen muy bien los
vuelos baratos, pero comprende que el avión es una importante fuente de
contaminación; entonces, ¿qué hacer para ir de vacaciones al extranjero?
Esa sencilla idea encierra un tema para tratar con toda la clase.

Algunas decisiones son más sencillas. No tenemos que comprar judías
verdes ni guisantes que hayan volado 7.000 kilómetros ni usar cámaras y
cuchillas desechables. Puede hacer un inventario de sus prácticas aceptables
e inaceptables y decidirse a eliminar otra costumbre insostenible cada año,
ejemplificando la reflexión sobre sus prácticas ante sus alumnos y compañeros. Puede medir la cantidad de desechos que produce la escuela y compa-
rarla con los de otra de tamaño similar que no esté muy lejos para comprobar
hasta qué punto es útil lo que está haciendo.

Utilice el entorno para desarrollar la ecoalfabetización

Ésta es una forma convincente de plantear la cuestión a los compañeros,
los padres y los niños. Muchos libros ofrecen ideas excelentes, como *Sharing
Nature with Children*, de Joseph CORNELL (1989), y *Earth Education*, de Steve
VAN MATRE (1990). Hay grupos y organizaciones que operan a nivel local que
están siempre dispuestos a ayudar con ideas de fácil aplicación a la situación,
como el *National Trust*, los guardas de *National Park* y los *British Trust for
Conservation Volunteers*. La *National Foundation for Educational Research*
tiene también su *Environmental Education Research Network* (FERN), que
puede ponerle en contacto con ideas y organizaciones, como FACE (*Farming
and Countryside Education*).

Comience por el entorno de la escuela: recoja agua de lluvia, instale recipientes con lombrices y arcas para obtener compost, plante árboles, haga
refugios para la vida natural. Éstos son signos visibles de estar preocupados
e informados acerca de los ecosistemas. Los alumnos pueden hacer investigaciones sobre cómo está cambiando su entorno: niveles de agua, vida en
los estanques, crecimiento de hierbas, margaritas, dientes de león... Los
alumnos de una pequeña escuela de Cornualles descubrieron que las ranas
y los sapos colonizaban su nuevo estanque y que, cuado se reproducían y
migraban, las ranas se iban por un sitio y los sapos por otro. ¿Por qué razón?
Realizaron una auténtica investigación, basada en sus propias observaciones. Además, las escuelas pueden elaborar estudios longitudinales durante
varios años, cuyos datos sean recogidos por los alumnos de cada curso
escolar.

Los trabajos de este tipo pueden ampliarse con la ayuda de las sociedades, parques nacionales y centros medioambientales que existen en la mayor
parte de las zonas del país, incluyendo el centro de cada ciudad. El *National*

Trust Guardianship Scheme une más de 100 escuelas con las propiedades del *National Trust* de todo el país (véase la dirección de la página web en el Capítulo VIII). Los niños se responsabilizan de algunos aspectos del mantenimiento de los jardines y los visitan unas seis veces al año para realizar trabajos como quitar helechos, instalar nidos artificiales, plantar árboles y hacer investigaciones a pequeña escala. El plan está patrocinado por la *Norwich Union* y su coste es pequeño o nulo para las escuelas. Los niños establecen fuertes vínculos con "su" terreno y aprenden a actuar con responsabilidad en relación con el medio ambiente. Consideran a los guardas como personas entendidas, modelos de rol cariñosos y que influyen en ellos.

Las escuelas pueden visitar también centros construidos a propósito, como el *Eden Project,* el *Earth Centre, The Living Rainforest, Magna* y otros muchos. Todos ellos facilitan experiencias de primera mano que tienen una enorme influencia en los niños y siguen haciéndolo en su pensamiento. A menudo, sale más barato hacer los viajes con grupos pequeños (media clase) en minibuses alquilados sin conductor que en un autocar contratado al efecto. Las páginas web de los centros ofrecen visitas virtuales e ideas para actividades que pueden hacerse sin realizar la visita. Véanse las direcciones web en la página 139.

Otro inconveniente del viaje en autocar es que los niños pueden considerarlo más como un día de excursión que como una experiencia para aprender. Para ayudar a los niños a centrarse en lo que Vd. pretende que experimenten, tiene que:

- *haberlo preparado a conciencia,* de manera que los alumnos sepan a qué se dedica el día y tengan ideas claras de lo que van a ver y a hacer;
- *disponer de una buena organización,* con el fin de no perder el tiempo con los retrasos, idas a los servicios, tablillas portapapeles incómodas, pérdida de lápices, bolsas demasiado pesadas, ropa inadecuada, etc.;
- *contar con la ayuda de adultos* que sepan cómo estimular el aprendizaje de los niños, en especial mediante las preguntas adecuadas. Para que los alumnos aprendan, es necesario mantener una proporción de 1:4. La mayoría de los centros permiten el acceso gratuito de los adultos acompañantes de los viajes escolares, lo que se convierte en un estímulo para que los padres vayan. También es una buena educación para ellos y refuerza los lazos entre la escuela y la comunidad;
- *evitar arruinar la experiencia con hojas de trabajo:* en un lugar tan deslumbrante como el *Eden Project,* es triste ver a niños y niñas con la cabeza metida en una hoja de trabajo, yendo de un sitio a otro poniendo marcas. La experiencia es lo que cuenta. Es preferible dejar el trabajo escrito para la escuela, cuando los niños pueden descargar de los sitios web muchas de las hojas de actividades. Y encima se ahorra papel;
- *tiempo para detenerse, reunirse y hablar:* los niños necesitan preguntar, para dar sentido a lo que hacen, en vez de ir pasando por encima de una nueva experiencia sensorial a otra. Hablar es mucho más valioso y precisa menos tiempo que escribir o dibujar. Pueden utilizar una cámara digital o una grabadora de minidisco si tienen que grabar algo para después.

Fortalezca su postura trabajando con la comunidad

Al intentar desarrollar la ecoalfabetización, recoja pistas para la reflexión, el conocimiento y el aprendizaje de la interacción cotidiana en el seno de la comunidad, donde se habla sobre las ideas y se discuten. La ecoalfabetización auténtica, la que tiene interés, sólo puede surgir del esfuerzo colectivo en el que participe toda la comunidad. Se desarrolla en todo tipo de lugares: bares, paradas de autobús, tiendas, clubes juveniles, consejos parroquiales.

Cualquier clase de alfabetización, incluyendo la ecoalfabetización, no sólo se refiere a lo que se dice, sino también al esfuerzo para conseguir que se diga (y se oiga) algo en primer lugar. Hacer que se escuche la propia voz forma parte de la alfabetización, como también acceder a las conversaciones y evitar ser tratado con desdén. Los niños también deben aprender estas destrezas.

Por tanto, el desarrollo de la ecoalfabetización es una empresa social colectiva. Se desarrolla cuando los profesionales especializados y la gente corriente, de distintos orígenes y formación, se unen para abordar problemas polémicos y personalmente relevantes y, poco a poco, involucran a los niños a medida que éstos van madurando. El contexto óptimo será una comunidad activa que dé posibilidades de que ocurran las cosas y que valore a todos sus miembros, incluyendo a los niños.

Trabajar con la propia comunidad es como tejer una tela. Su propio ecoconocimiento especializado y el de otros expertos locales es la urdimbre: otros conocimientos, preocupaciones e ideas de su comunidad constituyen los hilos o la trama. El interés, la preocupación, las ideas nuevas, el compromiso y la acción se tejen merced a su interacción, y Vd. es el tejedor. En palabras de Michael ROTH (2003):

> Si consideramos que la alfabetización científica es una característica de la práctica colectiva emergente, no importa qué pieza aporten todos y cada uno, sino que, al final, se tomen decisiones que tengan en cuenta la diversidad de conocimientos, valores y creencias (locales) relevantes.

En otras palabras, el aprendizaje ya no depende de cada persona, sino de las diversas conversaciones en las que intervienen. No todo el mundo tiene que saber las mismas cosas ni ser competente en los mismos temas. No podemos saber de todo lo suficiente como para poder asumir íntegramente decisiones informadas sobre todo. Lo que importa es que, como comunidad, Vds. produzcan los conocimientos relevantes respecto a los problemas que estemos manejando. Los niños y niñas tienen su lugar en esto y no son simples receptores del saber de otros.

Los niños pueden, por ejemplo, participar en actividades que beneficien a su comunidad y colaborar en los debates sobre materias que sean importantes para ellos, sus padres y su comunidad en general. ¿Por qué no disponemos de un contenedor de reciclado de papel en la escuela? ¿Por qué tenemos que recorrer 15 kilómetros para reciclar el vidrio? ¿Cuál sería un buen emplazamiento para un parque eólico? En la actualidad, por ejemplo, se está haciendo una campaña para persuadir a los restaurantes de comida rápida, como Macdonalds, para que se responsabilicen de la recogida de los desperdicios que sus clientes dejan en sus contenedores. ¿Dónde se sitúan los niños con respecto a esto? ¿Cómo pueden participar activamente?

En vez de prepararles para la vida en un mundo tecnológico futuro de otros, pensemos en crear oportunidades para que ellos participen de forma más activa en este mundo. La ecoalfabetización supone aprender el proceso de contribuir a la vida cotidiana de la comunidad, y la participación en prácticas importantes para ésta desde una edad temprana hace que la escuela sea más relevante para la vida cotidiana de sus niños y niñas. La identificación de los alumnos con los problemas de su medio desde una edad temprana hace que se sientan responsables y orgullosos de lo conseguido. Pregunte a los maestros de escuelas infantiles que hayan participado en alguna campaña de reciclado. ¡Le dirán que estos niños son unos vigilantes extraordinarios de las costumbres sobre el tratamiento de residuos de sus maestros y de sus padres!

Iniciativas locales

Apoyar las iniciativas locales es una magnífica forma de reforzar las redes comunitarias y de conseguir apoyos para el trabajo escolar. Involúcrese en la minimización de los residuos, el reciclado y la conservación de la vida natural. Los ayuntamientos, las organizaciones de voluntarios, los grupos juveniles, las instituciones de mujeres y demás organizaciones de este tipo realizarán actividades en las que puede colaborar la escuela. Los niños pueden transmitir ideas e información extraída de sus investigaciones y aportar su energía juvenil.

Relaciones con escuelas del mundo en vías de desarrollo

El agua, la higiene, la contaminación, la conservación, la deforestación, el VIH/SIDA, la producción de alimentos, la generación de energía y el cambio climático son problemas importantes en todas partes, pero afectan con más intensidad a las personas de los países más pobres. El hecho de saber cómo influyen estos temas en los niños de otros lugares puede empujar a sus alumnos y alumnas a actuar. Se pueden establecer relaciones con escuelas del mundo en vías de desarrollo. Las organizaciones del estilo de la *United Kingdom One World Linking Association* (www.ukowla.org.uk), por ejemplo, orientan a las escuelas sobre cómo buscar otras extranjeras con las que asociarse. Link Africa (www.linkafrica.net) ofrece a las escuelas del Reino Unido la posibilidad de relacionarse con centros radicados en Sudáfrica, Ghana, Kenia y otros países y da oportunidades a los maestros para que los visiten. Las escuelas vecinas pueden haber establecido ya esos contactos y ciertas administraciones locales han entablado relaciones con determinados países con fines de intercambio. No hay mejor manera de contemplar el propio sistema a una nueva luz que viéndolo a través de los ojos de niños de otra cultura. El personal educativo de *Oxfam* (www.intermonoxfam.org), o de organizaciones no gubernamentales similares, puede ayudar a la escuela a iniciar esta clase de actividades y proporcionar recursos interesantes al respecto.

La dimensión política de estas relaciones —¿quién decide?, ¿quién consigue cosas y de qué clase?— se relaciona con el civismo e interesa a los niños. Cuando en 2003, por ejemplo, se desvió a Iraq la ayuda prevista para otros países necesitados, esta decisión constituyó un motivo de preocupación para los niños que habían establecido contactos con regiones pobres de África. ¿Qué impacto tendrá en las ecologías y economías de las naciones cuyos presupuestos de ayuda se recortaron? ¿Por qué son siempre los países más pobres los más afectados?

Centrarse en la actualidad

Los niños tienen un sentido de justicia muy fuerte y querrán hablar sobre algunas de estas cuestiones medioambientales a la luz de las injusticias que contemplan. Los maestros no deben mostrarse reacios a abordar temas como éstos:

- **Necesidad y codicia:** ¿Qué necesitamos y qué es simple codicia? Los alumnos pueden reflexionar sobre esto con respecto a cosas cotidianas, como la comida, la ropa, los electrodomésticos, los cosméticos, las actividades de ocio, y relacionarlo con lo que "necesitan" los niños de otros países. ¿Por qué tenemos que ser diferentes?
- **Dinero:** ¿Por qué acabamos siempre en el dinero? ¿Quién tiene todo el dinero?, ¿de dónde viene?, ¿quién decide en qué se gasta? ¿Por qué unas personas reciben unos salarios mucho mayores que otras? Una joven abogada de un bufete de Londres gana cuatro veces más que las limpiadoras del mismo bufete, mucho mayores. ¿Por qué? ¿Es justo?
- **¿Quién toma las decisiones importantes? ¿Quién es responsable?** ¿Son los políticos, las personas de negocios, los famosos, los medios de comunicación o, en realidad, somos nosotros? Céntrense en un problema local que haya sido muy discutido y analicen cómo se tomaron las decisiones y quién se lleva la mejor parte. ¿Por qué? ¿Qué podríamos haber hecho? ¿Por qué no actúa la gente?
- **¿Estamos seguros?** ¿Qué ocurrirá probablemente si el mundo se calienta, si se extiende el terrorismo, si clonamos a niños, si comemos alimentos modificados genéticamente? ¿Sabemos los riesgos que asumimos? Los medios de comunicación transmiten historias terroríficas al respecto, pero no suelen hablar de los peligros de los terremotos, del consumo del tabaco, de cruzar la calle, montar en bicicleta, beber alcohol, tomar drogas, seguir una mala dieta. Los maestros no tendrán las

respuestas, pero deben promover la ecoalfabetización animándo a los niños a que sigan haciendo preguntas y tratando de hallar la información relevante. Por ejemplo, todos los años hay unas cien muertes más causadas por los deportes acuáticos que por el boxeo; ¿tendríamos que prohibir por eso los deportes acuáticos?

- **¿Qué decidimos? ¿Qué corremos el riesgo de perder? ¿Por qué?** Algunas cosas cambian tan despacio que no nos percatamos de que lo hacen y, cuando nos damos cuenta, es demasiado tarde. Esto sirve para el cambio climático. Distintos científicos predicen futuros diferentes. Según una teoría, Gran Bretaña irá calentándose, cosa que ya está ocurriendo. Distintas variedades de aves, peces y plantas que solían vivir más al sur, como las garcetas y los salmonetes, han migrado hasta nuestras costas. Según otra teoría, si el casquete polar ártico se funde y las corrientes frías del Atlántico Norte hacen retroceder la Corriente del Golfo, más salina, los mares que rodean nuestras costas pueden congelarse en invierno y generar un clima parecido al de Montreal, en Canadá oriental. Si queremos frenar estos cambios, debemos actuar. ¿Queremos café barato, con todas las consecuencias para los agricultores pobres del tercer mundo, o deseamos una sociedad más justa, en cuyo caso deberemos pagar más por nuestros alimentos básicos? ¿Queremos seguir comiendo bacalao con patatas fritas hasta que éste se extinga? ¿Cuáles son las alternativas?

¿Dónde nos quedamos?

Este libro ha intentado demostrar que los maestros pueden influir mucho en la forma de abordar las grandes cuestiones ecológicas y lo mismo puede decirse de sus alumnos y alumnas. Recordemos el balance económico, social y ambiental: el coste de cualquier cosa no sólo es financiero, sino también social y medioambiental, y si no pagamos el precio completo, estamos estafando a nuestros hijos con respecto a su futuro en el planeta. Los niños de Gran Bretaña no suelen darse cuenta de que forman parte de una pequeña minoría de personas privilegiadas. El desarrollo de su ecoalfabetización debe ayudarles a ver que sus privilegios conllevan obligaciones. Todos formamos parte de una red mundial y el futuro está en las manos de nuestros hijos.

Es posible que a los niños pequeños no les resulte fácil de entender el concepto de sostenibilidad, pero la idea de usar sin abusar puede convertirse en una realidad cotidiana de muchas maneras. Tenemos mucho papel, muchos bolígrafos, mucho dinero para gastar; ¿cómo podemos asegurarnos de que no lo usamos antes de que podamos producir más? ¿Qué podemos hacer para producir más? Una vez trabajé en una escuela de Botsuana en la que los maestros cortaban cada lápiz en seis partes para aprovecharlos mejor y cada alumno tenía que hacer durar cada lapicerito un trimestre. ¡Los afilaban con muchísimo cuidado!

El mensaje puede resumirse en las seis "R": las tres primeras nos son muy conocidas:

— reducir la cantidad de residuos que producimos sin darnos cuenta;
— reutilizar las cosas, en vez de tirarlas;
— reciclar los materiales, siempre que se pueda.

Para el maestro, quizá sea más importante:

— repensar lo que hace en clase y fuera de ella, en su propia vida;
— revisar su forma de trabajar con los alumnos;
— reeducar a los compañeros y a otras personas con el ejemplo.

Permítannos acabar con una séptima "R":

– rehúse que le desanimen y distraigan los escépticos, los que no quieren molestarse, los que acatan la disciplina a rajatabla o los que buscan la vía fácil. Vd. puede cambiar las cosas.

Bibliografía

ALEXANDER, R. (2000) *Culture and Pedagogy: International comparisons in primary education*. Oxford: Blackwell.

ASSOCIATION FOR SCIENCE EDUCATION (ASE) (2004) "Creativity and Science Education (whole issue)". *Primary Science Review* 81.

BOYLE, G. (1996) *Renewable Energy: Power for a sustainable future*. Oxford: Open University Press, en asociación con la Open University.

BURKE, C. y GROSVENOR, I. (2003) *The School I'd Like: Children and young people's reflections on an education for the 21st century*. Londres: RoutledgeFalmer.

CAPRA, F. (1996) *The Web of Life: A new synthesis of mind and matter*. Londres: Harper-Collins. (Trad. cast.: *La trama de la vida. Una nueva perspectiva de los sistemas vivos*. Barcelona. Anagrama, 1999, 2.ª ed.)

— (2002) *The Hidden Connections: A science for sustainable living*. Londres: Harper Collins. (Trad. cast.: *Las conexiones ocultas: implicaciones sociales, medioambientales, económicas y biológicas de una nueva visión del mundo*. Barcelona. Anagrama, 2003.)

CLEGG, A. B. (Ed.) (1965) *The Excitement of Writing*. Londres: Chatto & Windus.

CORNELL, Joseph (1989). *Sharing Narture with Children*. (Trad. cast.: *Vivir la naturaleza con los niños*. Sant Cugat del Vallés. Ediciones 29, 1982.)
Otro título de este autor en castellano es:*Compartir el amor por la naturaleza: juegos y actividades para todas las edades*. Sant Boi de Llobregat. Ibis, 1994.

DARVILL, P. (2000) *Sir Alec Clegg: A biographical study*. Knebworth: Able Publishing.

El CENTRO NACIONAL DE EDUCACION AMBIENTAL (CENEAM), dependiente del Ministerio de Medio Ambiente de España, tiene como objetivo principal incrementar la responsabilidad de ciudadanos y ciudadanas en relación con el medio ambiente, utilizando como herramienta la Educación Ambiental.
El CENEAM desarrolla diversas líneas de trabajo especializadas en educación ambiental: centro de documentación ambiental, programas de educación e interpretación ambiental, programa de formación, seminarios permanentes, exposiciones, publicaciones, materiales didácticos y divulgativos y otros recursos que facilitan la actividad de profesionales, estudiantes y personas interesadas en esta materia.

El CENEAM se encuentra situado en Valsain, en la provincia de Segovia, a 3 kms de La Granja de San Ildefonso y a 75 kms de Madrid. Su portal en Internet ofrece muchos recursos y enlaces, tanto nacionales como internacionales de gran interés: **http://www.mma.es/educ/ceneam**. E-mail: **info.ceneam@oapn. mma.es**. Tels. 921 471711/921 471744. Fax: 921 471746. *(N. del R.)*

HELLDEN, G. (2003) "Personal context and continuity of human thought as recurrent themes in a longitudinal study". *Scandinavian Journal of Educational Research* 47 (2), págs. 205-217.

HICKS, D. (2002) *Lessons for the Future: The missing dimesion in education*. Londres: RoutledgeFalmer.

McGAUGH, J. L. (2003) *Memory and Emotion*. Londres: Weidenfeld.

PRICE, J. (Ed.) (2001) *Who Decides? Citizenship through Geography*. Londres: ActionAid.

ROTH, M. (2003) "Scientific literacy as an emergent feature of collective human praxis". *Journal of Curriculum Studies* 35 (1), págs. 9-23.

STEELE, T. (1975) *The Life and Death of St. Kilda: The moving story of a vanished island community*. Londres: Fontana/Collins.

TUDGE, C. (2000) *The Variety of Life: A survey and a celebration of all the creatures that have ever lived*. Oxford: Oxford University Press. (Trad. cast.: *La variedad de la vida: historia de todas las criaturas de la Tierra*. Barcelona. Crítica, D. L., 2001.)

UNILEVER (2000) *Water* (Unilever Educational Booklet, Advanced Series). Londres: Unilever.

ZUKAV, G. (1979) *The Dancing Wu Li Masters: An overview of the new Physics*. Londres: Fontana paperbacks. (Trad. cast.: *La danza de los maestros: La física moderna al alcance de todos*. Barcelona. Argos Vergara, 1981.)

Páginas web

Jardines botánicos/Centros de medio ambiente .... pág. 75

Otras direcciones

Índice de autores y materias

Otras obras de Ediciones Morata de interés

Apple, M. W.: *Política cultural y educación,* (2.ª ed.), 2001.
——— y **Beane, J. A.:** *Escuelas democráticas,* (4.ª ed.), 2005.
Astington, J. W.: *El descubrimiento infantil de la mente,* 1998.
Beane, J. A.: *La integración del currículum,* 2005.
Beltrán, F. y San Martín, A.: *Diseñar la coherencia escolar,* (2.ª ed.), 2002.
Bruner, J.: *Desarrollo cognitivo y educación,* (5.ª ed.), 2004.
Cairney, T. H.: *Enseñanza de la comprensión lectora,* 2002.
Carbonell, J.: *La aventura de innovar,* (3.ª ed.), 2006.
——— y **Tort, A.:** *La educación y su representación en los medios,* 2006.
Clemente Linuesa, M.: *Lectura y cultura escrita,* 2004.
Connell, R. W.: *Escuelas y justicia social,* (3.ª ed.), 2006.
Cummins, J.: *Lenguaje, poder y pedagogía,* 2002.
Delval, J.: *Aprender en la vida y en la escuela,* (3.ª ed.), 2005.
——— *Hacia una escuela ciudadana,* 2006.
Elliott, J.: *El cambio educativo desde la investigación-acción,* (4.ª ed.), 2005.
——— *Investigación-acción en educación,* (5.ª ed.), 2005.
Fernández Enguita, M.: *Educar en tiempos inciertos,* 2001.
Flick, U.: *Introducción a la investigación cualitativa,* 2004.
Fraser, N. y Honneth, A.: *¿Redistribución o reconocimiento?,* 2006.
Gimeno Sacristán, J.: *El alumno como invención,* 2003.
——— *El* currículum: *una reflexión sobre la práctica,* (8.ª ed.), 2002.
——— *La educación obligatoria: Su sentido educativo y social,* (3.ª ed.), 2005.
——— *Educar y convivir en la cultura global,* (2.ª ed.), 2002.
——— *La pedagogía por objetivos: obsesión por la eficiencia,* (11.ª ed.), 2002.
——— *Poderes inestables en educación,* (2.ª ed.), 1999.
——— **(Comp.):** *La reforma necesaria,* 2006.
——— y **Pérez Gómez, A. I.:** *Comprender y transformar la enseñanza,* (11.ª ed.), 2005.
Gómez Llorente, L.: *La educación pública,* (2.ª ed.), 2001.
Graves, D. H.: *Didáctica de la escritura,* (3.ª ed.), 2002.
Grundy, S.: *Producto o praxis del* currículum, (3.ª ed.), 1998.
Harlen, W.: *Enseñanza y aprendizaje de las ciencia,* (5.ª ed.), 2003.
Jackson, Ph. W.: *La vida en las aulas,* (6.ª ed.), 2001.
Kemmis, S.: *El* currículum: *más allá de la teoría de la reproducción,* (3.ª ed.), 1998.
Kushner, S.: *Personalizar la evaluación,* 2002.
López, L. E. y Jung, I. (Comps.): *Sobre las huellas de la voz,* 1999.
Martínez Bonafé, J.: *Políticas del libro de texto escolar,* 2002.
McKernan, J.: *Investigación-acción y* currículum, (2.ª ed.), 2001.
McLane, J. B. y NcNamee, G. D.: *Alfabetización temprana,* 1999.
Peacock, A.: *Alfabetización ecológica en educación primaria,* 2006.
Pérez Gómez, A. I.: *La cultura escolar en la sociedad neoliberal,* (4.ª ed.), 2004.
Piaget, J.: *Psicología del niño,* (16.ª ed.), 2002.
Popkewitz, Th.: *Sociología política de las reformas educativas,* (3.ª ed.), 2000.
Pozo, J. I.: *Adquisición de conocimiento,* 2003.
——— *Teorías cognitivas del aprendizaje,* (7.ª ed.), 2002.
——— y **Gómez Crespo, M. A.:** *Aprender y enseñar ciencia,* (3.ª ed.), 2001.
Santos Guerra, M. A.: *La escuela que aprende,* (3.ª ed.), 2002.
Stake, R. E.: *Investigación con estudio de casos,* (2.ª ed.), 1999.
Steinberg, Sh. y Kincheloe, J.: *Cultura infantil y multinacionales,* 2000.
Stenhouse, L.: *Investigación y desarrollo del* currículum, (5.ª ed.), 2003.
——— *La investigación como base de la enseñanza,* (5.ª ed.), 2004.
Suckling, A. y Temple, C.: *Herramientas contra el acoso escolar,* 2006.
Torres, J.: *Globalización e interdisciplinariedad: el* currículum *integrado,* (5.ª ed.), 2006.
——— *El* currículum *oculto,* (8.ª ed.), 2005.
——— *Educar en tiempos de neoliberalismo,* 2001.
Tyler, J.: *Organización escolar,* (2.ª ed.), 1996.
Valle, F.: *Psicolingüística,* (2.ª ed.), 1992.
Viñao, A.: *Sistemas educativos, culturas escolares y reformas,* (2.ª ed.), 2006.
Willis, A. y Ricciuti, H.: *Orientaciones para la escuela infantil de cero a dos años,* (3.ª ed.), 2000.